JN126354

高校生からの哲学入門

：心と頭を鍛えるために

はじめに

私は高校２年生のとき「倫理・社会」という科目を学び、「哲学」というものに興味をもつようになりました。当時（1970年代）の普通高校の社会科の授業は、1年生で「地理」、2年生で「世界史」と「倫理・社会」（「倫・社」）、３年生で「日本史」と「政治・経済」（「政・経」）を学習することが必修となっていました。これはよく考えられたカリキュラムで、１年生で空間的な知識を学び、２年生で地理的知識の上に立って世界の時間的流れを概観し、同時に「倫・社」によって「青年期の心理」（心理学）と「哲学」や「倫理学」という人間の内面的・思索的な側面を学習します。そして、３年生で日本の歴史的経過をかなり詳しく学ぶとともに、「政・経」によって社会人（国民）としての素養を身に付けるという、生徒の発達段階に即した、また体系的なバランスのよいカリキュラムでした。

私は大学で哲学を専攻し、卒業後1979年に公立高校の「倫・社」の教員として初めて教壇に立ちました。私が教員になってからの1980年代から90年代にかけては、国際社会も日本社会も急激に変化していった時代でした。特に印象に残っているのは、1989年のベルリンの壁の崩壊です。これは、第２次世界大戦終結後、ずっと続いてきたアメリカとソ連の対立（東西冷戦体制）が、ソ連型社会主義の破綻によって終焉したことの象徴でした。これ以降、資本主義か社会主義かというイデオロギー的思考は終わりを告げ、人々の関心は、政治から経済へと完全に移行したように思います。

一方、日本国内に目を向けると、1973年のオイル・ショックによって、日本の高度経済成長は終わりを告げましたが、その後も日本経済は安定的に成長し、特に80年代後半には、いわゆるバブル景気によって、日本は世界一の金持ち国と言われるようになりました。しかし、そのバブルがはじけたのが1991年でした。バブル崩壊によって株価や地価は暴落し、企業の倒産が相次ぎ、銀行の不良債権も膨らんでいきました。その結果、失業者の増加、賃金水準の低迷、日本型終身雇用制の動揺、非正規労働者と正社員との格差の拡大、さらに経済のグローバル化による国内産業の海外移転などによって、それまでの確実な雇用と賃金上昇を背景とした「一億総中流時代」は終わりを告げ、現在まで続く「格差社会」が到来したのでした。

1990年代から21世紀初頭にかけての特筆すべき社会状況の変化は、IT（Information Technology 情報技術）革命でしょう。情報通信技術（インターネット、携帯電話、スマートフォンなど）の急速な普及は、私たちの生活様式を一変させました。私たちは居ながらにして世界中の情報を瞬時に知ることができ、また自ら情報を発信できるようになり、世界を身近に感じるようになりました。それと同時に、人と物と情報が世界中を飛び回る中、私たちの価値観も大きく変化していきました。それは端的に「グローバル化」と呼ばれる現象です。たとえば、日本の伝統的な価値観である「男女の役割分担（男性は外で働き、女性は家庭を守る）」などの考え方は時代遅れとされ、国際的な基準である「ジェンダー論」がさかんになりました。1990年代以降の社会の急激な変化は、価値観の国際化と多様化を一段と加速させたのでした。

変化の激しい時代にあって、自分を見失うことなく主体的に生きていくためには、自分なりの世界観や人生観をもつことが是非とも必要でしょう。つまり、「哲学」の必要性が高まるのです。ところが、結果的に日本の教育はその流れに逆行する方向に向かってしまったように思います。

1989年は元号が昭和から平成に変わった年でもありますが、この年、高等学校学習指導要領が改訂され、それまでの社会科は地理歴史科と公民科とに分かれることになりました。同時に、公民科の科目も再編され、「現代社会」「倫理」「政治・経済」の３科目となり、基本的には「現代社会」が必修科目となって、従来の「倫・社」の内容を受け継いだ「倫理」は選択科目になりました。「現代社会」の内容はほとんど「政治・経済」に近いものでしたから、生徒たちは「倫理」を選択しない限り、心理学・哲学・倫理学の内容を学習することなく、高校を卒業することになったのでした。

新しい学習指導要領では、「自ら考える力」や「生きる力」などの新しい学力観が取り入れられ、それまでの暗記中心の教え込む授業から、生徒の主体性を重視する考えさせる授業への転換が図られました。しかし、最も主体的な思索が要求される「哲学」の内容が必修科目から外れたことによって、新しい学力観では、物事をじっくり考えて理論を構築するよりも、すぐに役立つ技術的な対応力を重視する傾向が強まったように思います。変化する状況に対してあまり時間をかけず臨機応変に対応する能力はもちろん必要ですが、じっくり時間をかけて思索し自分が納得できる生き方を選択する能力も同様に必要でしょう。

私は、「倫理」を選択していない高校生や「倫理」を学ぶことなく高校を卒業してしまった人たちに、哲学や倫理学の基本を学んでもらえるようにという思いでこの本を書きました。読者の皆さんには、この本をきっかけとして、先哲の思想に興味をもっていただき、是非とも自分なりの世界観や人生観を築いていかれるよう期待しています。

著　者

目　　次

第 1 章　精神のはたらき

1　精神の構造

私とは精神である

私とは精神あるいは心です。そして、精神はいくつかの部分あるいは能力に分けることができます。かつて、ギリシアのプラトンは人間の魂を二頭立ての馬車にたとえました。御者である理性が気概（意志）と欲望という二頭の馬を制御するという図式です。また、人間の精神作用は知（知性）・情（感情）・意（意志）という言葉でよく表されます。このように精神の作用は 3 つの部分に分けて考えることが多いようです。

一方、西洋近代哲学の祖と言われるフランスのデカルトは精神作用を受動的能力と能動的能力に分けて考えました。受動的能力は認識（知覚）や知性の作用であり、これには感覚や表象などが含まれます。また、能動的能力は意欲や意志の作用であり、これには欲求や拒否などが含まれます。さらに、デカルトは、身体における動物精気の運動によって引き起こされる精神の知覚・感覚・情動を特に「情念」と呼び、これを精神の受動的能力と位置づけています（『情念論』）。このように、西洋近代哲学では一般に、精神作用のうち認識や知覚の能力は受動的であると考えられていたのですが、この枠組みを大きく変えたのがドイツのカントでした。彼は、それまで受動的とされていた認識能力を明確に感性と悟性（理性）に分け、感性は受動的としましたが、悟性(理性)(この違いは対象の違いによります。悟性の対象は経験であり、理性の対象は超経験的な理念です）は能動的としました。このような変革をカントは「コペルニクス的転回」と呼んでいます（『純粋理性批判』)。

ところで、精神現象は必ず一定の身体現象すなわち物理・化学的な現象に対応していると考えられます。私が何かを知覚したり、何らかの感情に囚われたり、何事かを考えたりしているときには、私の身体のいずれかの部分（たいていは脳でしょう）で物理・化学的変化が生じていることは疑いえないでしょう。むしろ、そのような物理・化学的変化の結果として精神現象がある、と考えることができるかもしれません。しかし、「私とはいかなるものか」と問われたとき、「それは私の身体（あるいは脳）である」とか「身体の物理・化学的変化である」と答えることには、かなりの抵抗があるでしょう。私たちは普通、「私とはたんなる物質としての身体以上の何ものかである」と考えているからです。

近年の脳科学の発展により、脳のどの部分がどのようなはたらきをしているかがかなり詳細にわかってきました。しかし、脳科学の物理・化学的な説明は、今私がこのように考えたり、このように感じたりしている、生き生きとした現実をそのままに捉えることは永遠にできないでしょう。精神現象（「意識」と言ってもよいでしょう）には、物質現象に還元しきれない何ものかが備わっています。それは「生命」とか「主体」と呼ばれるものと同様の何ものかです。物理・化学的な説明は、私たちの精神現象の物質的なメカニズムを解明することはできても、精神現象の生き生きとした現実を全体として説明することはできないのです。そこに科学ではない哲学の存在意義があるのでしょう。

感性（感覚）

さて、話を精神の部分に戻しましょう。先ほど、精神作用は伝統的に知・情・意の 3 つの部分に分けられることに触れましたが、私はそれを 4 つの部分に分けて考えたいと思います。その 4 つとは、身体への依存度が高いと思われる順に配列すると、感性（感覚）、感情（情動）、意志、知性です。

まず、感性（感覚）は目や耳などの感覚器官に決定的に依存しており、私たちは感性（感覚）を通して初めて外界を知ることができます。そして、感覚器官の構造は人類（霊長類ヒト科＝ホモ・サピエンス）という種に共通したものであり、個人差はあっても感性がもたらす感覚の表象は人類にほぼ共通していると考えられます。このように感性（感覚）によってもたらされた外界の表象の全体が「客観的世界」と呼ばれるものでしょう。

感性は一般に精神の受動的能力と考えられており、また感覚器官は純粋に物質的装置ですから、感性は物質的法則性によって支配されていると言ってよいでしょう。したがって、感性（感覚）の機能の多くは機械によって代替されることができます。私たちの周囲にある様々な検査装置（たとえば、顕微鏡や望遠鏡、カメラ、その他様々なセンサー）は、感覚器官の延長線上にあるのであり、さらに、最近の VR（バーチャル・リアリティ＝仮想現実）の装置は、私たちが感覚器官を通して体験する現実と区別できないほどの疑似体験を私たちにもたらします。

知性

一方、知性は思考・計算・想像などの論理的推理および記憶などの知識の蓄積や想起に関係した能力であり、一般に「考える能力」です。カントは悟性（理性）の能動性を強調しましたが、デカルトなど多くの哲学者は知性も感性と同様に受動的であると考えていました。つまり、知性が考えるとは、「想像」のように何かを新たに自発的に産み出すというものもありますが、むしろ、すでにある真理すなわち数学や自然を支配している理法（これらは神の摂理と考えられます）を論理的必然性に基づいて解明していくことを意味していました。知性は、人間が真理を知るために神が与えた認識能力ですから、知性が明晰判明に思考する限り誤りはないことになります。したがって、デカルトは、人間が誤りを犯すのは、知性よりも能動的能力である意志（想像力は意志に属します）が原因であると考えていました（『省察』）。

知性のこのような論理的必然性は、感性（感覚）の物質的法則性と共通する面があるでしょう。したがって、知性の機能も感性（感覚）と同様に機械によって代替が可能であり、実際、現代ではその機能の多くはコンピュータ（最近では、AI（人工知能）という語が一般的です）によって代替されています。AIの囲碁プログラムが人間のプロ棋士に勝った（2015年）ことを覚えている読者もいるでしょう。今や「考える能力」は人間固有の能力とは言えなくなっているのです。

現代では、感性（感覚）と知性の機能の多くは、機械によって代替が可能であり、したがって、私たちの感性（感覚）と知性の個人差は、同様の仕様と性能をもった機械の個体間の差と同じように考えられるかもしれません。したがって、人間であればほぼ共通した感性（感覚）と知性の能力をもっているのであり、この共通性が「客観的世界」の共通性の根拠（感覚的実在性と論理的実在性）となっていると言えましょう。

西洋近代の「観念論」の限界

「私は精神である」という認識は、西洋近代哲学の一般的な見解です。この精神を、デカルトは「コギト（考える私）」と呼び、カントは「超越論的統覚」と呼びました。彼らに共通するのは、精神である私は絶対確実に存在する、また私が明晰判明に認識するものは真理であるという信念と、私が対象を認識するのは私のうちにある「観念」を通してであるという「観念論」です。しかし、この観念論によれば、世界および世界に存在する「物」は、「観念」によってしか知ることができないことになり、したがって、世界は私を超越したもの、本質的に不可知なものに留まることになります。そして、世界が私を超越しているなら、同じ精神であるはずの他者（他我）もまた私を超越している、つまり不可知であることになります。したがって、観念論者にとっての難問の一つは、他者（他我）はいかにして認識できるかという他我問題です。

デカルトやカントの精神（自我）の20世紀における正統な後継者として、「純粋意識」を唱えたフッサールが挙げられると思います。フッサールは、この他我問題について次のように説明しています。他者が私と同様な身体をもち、その振る舞いが私と類似しているから、「他我は、現象学的には私の自我の変様態として現れる」（『デカルト的省察』）。つまり、彼は、観察による私と他者の身体と行動の類似性から、他者もまた私と同じ自我＝精神であると推測するのです。しかし、このような外見上の類似性から、他者もまた精神であると推測するのは無理があるように思われます。現在の科学技術の水準では、まだ人間そっくりの精巧な機械（ロボット）を作ることはできないでしょうが、それほど遠くない将来、人間そっくりのロボットが作られたとき、このような外見上の類推によっては、その人が本当に精神（人間）かどうかを判断することは難しいでしょう。

他者（他我）に対して他の「物」と同様に、観察によってその外面から接近しようとする方向性は結局成功しないでしょう。他者が私と同じ精神であることを確認するためには、他者の身体や行動などの観察から類推するのではなく、私たちが同じ人類（霊長類ヒト科）という種に属するという生物学的事実に根拠を求めなければならないでしょう。私と他者は人類として共通の遺伝子をもつがゆえに、たんに身体の外見が似ているだけでなく、身体のあらゆる器官とその機能・能力が似ているのです。したがって、他者が私と同じ精神（人間）であることを確認するための最も確実な方法は、レントゲン撮影やDNA検査などの医学的検査でしょう。

もし、相手が精神（人間）であるかどうかを確認するために医学的検査が実施できないとしたら、その人とある程度まとまった会話をしてみたらいいでしょう。言葉を用いて意思疎通できることが精神（人間）の最大の特徴でしょうし、現在の科学技術の水準ではまだ完璧に人間と同じように会話ができるロボットを作ることはできないでしょうから、会話をしてみればその相手が精巧なロボットなのか精神（人間）なのかわかるはずです。あなたの前にいる他者が、人間の身体とDNAをもち、人間のように振る舞い、人間のように言葉を用いて意思疎通できるのだとすれば、それは人間すなわち精神（他の自我）なのです。

意志と感情（情動）

相対的な違いではありますが、私と他者において感性（感覚）と知性は比較的共通性が高いですから、私の個性（パーソナリティ）を構成する要素は、おもに意志と感情（情動）ということになるでしょう。特に、意志は精神における際立って能動的な能力であり、意欲や欲求など行動する主体そのものです。したがって、普通、私といえば、それは私の意志を指すことが多いでしょう。感性（感覚）と感情（情動）は受動的能力であり、刺激を直接に身体から受けますから、私がそれらの表象を自発的に産み出すことはできません。また、先ほど述べたように、知性も基本的に論理的必然性の影響下にありますから、想像力を除いて本来は受動的能力と考えられていました。判断にせよ行動にせよ最終的に決定を下すのは意志であり、それゆえ、意志のみが真に自由である（「自由意志」）と言うことができるでしょう。

感情（情動）は感性（感覚）と同様に感覚器官によって精神にもたらされる快および不快の様々な様態であり気分です。生命体は本能などの欲求をもちますが、欲求の目的が達成されたときに精神に生じる感覚表象が快であり、目的が阻害されたときに生じる感覚表象が不快です。快は喜びや幸福などの気分と結びついており、不快は悲しみや怒り、恐れなどの気分と結びついています。

生命体は快を求め、不快を避けようとする傾向がありますから、感情（情動）は行動の主体である意志に大きな影響を与えます。一方、知性もまたその論理的必然性によって意志に影響を与えます。すなわち、何が論理的に真であり偽であるかを意志に提示するのです。感情（情動）が快を求め、不快を避けようとする傾向と知性が論理的真理を求める傾向とが対立しなければ特に問題はありませんが、両者が対立する場合、つまり、頭（知性）ではわかっているが、気持ち（感情）が納得しない場合、知性と感情のどちらを優先するかはまったく意志の決定に委ねられており、この意志の傾向性こそがその人の個性（パーソナリティ）を強く規定するのです。

精神構造のイメージ…運転手と自動車

話を最初に述べたプラトンの比喩に戻しましょう。プラトンは人間の魂を理性、気概（意志）、欲望の 3 部分に分けましたが、これはもともと理想国家との類比で述べられたものです。その著書『国家』においてプラトンは、国家を構成する階級を統治者階級（理性的部分）、軍人階級（気概的部分）、生産者階級（欲望的部分）の 3 階級に分け、それぞれがその職分を果たせば、知恵、勇気、節制の徳が実現され、それらの調和によって正義の徳が実現されると考えていました。この国家の３階級を魂の理性、気概（意志）、欲望の３部分に対応させたわけです。ただ、『国家』には二頭立ての馬車の比喩は出てこなくて、これが出てくるのは『パイドロス』においてです。

魂の三分説をインターネットで調べていたところ、あるサイトで、御者が理性ではなく、気概（意志）となっているものがあり、驚いてしまいました。そのサイトでは、意志である御者が理性と欲望という二頭の馬を制御することになっていたのです。これは、プラトンの思想からすれば明らかに間違いなのですが、個人的な心情からすると共感するものがありました。『国家』においても、理性と意志が共同して欲望を抑制するという関係が述べられていましたし、人間の精神構造を考えたとき、私自身、意志が最も能動的であり、精神全体の進むべき道を判断し決定するのは、理性よりも意志ではないかと思っていたからです。

そこで、プラトンの比喩を真似て、人間の精神構造についての私なりのイメージを作ってみることにしました。それは馬車ではなく、自動車です。まず自動車の車体は身体です。そして、タイヤは感性（感覚）です。自動車はタイヤを通して道路（世界）と接しているのです。エンジンは感情（情動）です。エンジンは車体を動かす原動力を生み出します。知性はハンドルです。ハンドルがなければ車は道を正しく進むことができません。そして、運転手が意志です。意志は感性（感覚）や感情（情動）の影響を受けつつ、知性を操りながら道路（世界）を進んでいくのです。このイメージを出発点として、精神のそれぞれのはたらきについて具体的に見ていきましょう。

2　感性（感覚）と感情（情動）

脳科学と哲学

本節から、精神のはたらきの各々がどこにどのようにあるのかについて考えていきます。ここで、私は「精神」という語でおもに「意識」を考えています。そして、意識はつねに何ものかについての意識です。つまり、意識は対象をもちます。この意識の対象を「表象」と呼びましょう。このように考えれば、「精神（作用）があるところにはつねに表象がある」ことになります。

ここで、脳科学について再び言及しておきましょう。ヒトの精神作用を司る中枢は大脳の表面部分である大脳皮質です（以後、脳と言えばこの大脳皮質と考えてください）。大脳皮質はその機能によって、感覚情報の解読を行う感覚野、運動の指令を出す運動野、思考･言語･記憶など高次の精神活動を行う連合野などの領野に分かれます。また、部位としては前頭葉、頭頂葉、側頭葉、後頭葉に分かれ、それぞれの部位が特定の精神作用に関係しています（ブロードマンの脳地図）。たとえば、視覚野は後頭葉に、聴覚野は側頭葉に、体性感覚野は頭頂葉に、思考や判断の作用は前頭葉に、言語の作用は前頭葉のブローカ野、側頭葉のウェルニッケ野など、大脳皮質の様々な部位と関係しているとされます（「大脳皮質のおはなし」Akira Magazine）。では、精神作用の表象は必ず脳のいずれかの部位にあるのでしょうか。たとえば、私の前にあるパソコンの表象（視覚映像）は、私の目の前ではなく、私の脳にあるのでしょうか。また、歯痛は口のなかの歯ではなく、同じく私の脳にあるのでしょうか。

これについては、心理学において「感覚投射の法則」というものが確認されています（「感覚」コトバンク）。感覚器官が何らかの刺激を受けるとそれが電気信号に変換され、その電気信号が神経を経由して脳に達し、脳において感覚を生じさせます。この意味では、感覚は脳のうちにあるのですが、その感覚は脳内の出来事として感じられるのではなく、刺激が加えられた感覚器官のある場所で生じたものとして感じられるのです。これが「感覚投射」です。したがって、パソコンの感覚（視覚映像）も歯痛の感覚も私の脳内に生じているのですが、それが刺激を受けた場所に投射されることによって、私はパソコンの視覚映像を目で見、また歯痛の感覚を歯で感じるのです。

私が本章で取り上げる「精神のはたらき」は哲学の分野としてはおもに「認識論」に当たります。皆さんも想像がつくと思いますが、この分野は心理学（最近では、「認知科学」の一部と考えられています）や脳科学の内容とかなり重複しています。かつて古代ギリシアでは、哲学は学問全般のことであり、自然も含めてあらゆるものをその対象としていました。あのニュートンも自らの物理学を哲学と呼んでいたのです。しかし、近代以降、物理学や心理学といった専門科学が哲学から次々と独立していき、かつて「万学の女王」といわれた哲学も、諸科学と比較される学問の１つになってしまいました。

現在、哲学というと、科学が人類に物質的に大いに貢献しているのとは異なり、空理空論を弄する現実にはあまり役に立たない学問だと考えている人もいるかもしれません。しかし、哲学は、依然として世界の在り方や人間の生き方についての根本的な原理を探求する学問であり、あらゆる学の根底を支える知識の体系であり続けています。それは、人間が「ホモ・サピエンス（知恵の人）」である限り、私たちは世界や人生における究極の真理を求め続けているからです。究極の真理の探求、つまり「知への愛＝フィロソフィア」は人間の宿命であり、読者の皆さんもその思いに導かれて、この本を手にしているのでしょう。

私は、哲学は科学がもたらす成果をできるだけ尊重すべきだと考えています。なぜなら、哲学はその時代の思考的枠組みを意識化するという役割をもっていると思うからです。ただし、何でも取り入れるということではなく、当然、取捨選択がなされます。哲学の説明は、ある理論が私たちの一般的で常識的な経験に照らして論理的に納得できるかどうか、あるいは、私たちの生活実感に適っているかどうかによって評価されるべきだと思うからです。そして、私は、現実世界のあるがままの本質を明らかにすることは、未来のあるべき方向性を示すことにつながると考えています。

視覚

さて、話を精神のはたらきに戻しましょう。まずは、感性（感覚）の表象について考えてみましょう。周囲を見渡せば、色々なものが見えます。これらの視覚映像が視覚の表象です。これらの表象は手前にあるパソコンや家具であり、窓から見える隣家の屋根であり、空を背景とした山です。これらの表象は手前から遥か彼方まで「広がりと奥行き」のなかに連続的に配置されています。あるいは、視覚の表象とは個々の表象の全体であり、この全体が「広がりと奥行き」をもっている、とも言えるでしょう。

視覚の表象を個々の物の表象と考えようと、あるいは、個々の表象の全体（図と地の全体）と考えようと両者に共通しているのは、視覚の表象は「広がりと奥行き」と切り離すことができない、ということです。この「広がりと奥行き」を「空間」と呼びましょう。したがって、個々の表象は「空間」のなかに連続的に配置されている、とも言えるし、個々の表象の連続的な配置の全体が「空間」を構成している、とも言えるのです。しかし、注意しなければならないのは、「空間」そのものは見ることができないということです。「空間」は視覚（感覚）

の表象ではなく、別の種類の表象なのです。

隣家の屋根を眺めていたら、鳥が視界を横切って行きました。当然のこととして、視覚の表象には運動も含まれます。運動とはある物の空間内における位置の変化です。位置の変化とは、その物が前にあった場所と後にある場所が異なることです。つまり、位置の変化は同一の物の「前後関係」として認識されます。また、位置は変わらなくても、氷の固まりは常温ではやがて水に変化します。このような様態の変化も、位置の変化と同様に「前後関係」として認識されるでしょう。この「前後関係」を「時間」と呼びましょう。このように考えれば、視覚の表象は「空間と時間のなかにある」と言うことができるでしょう。

さらに、触れておきたいのは、視界は私の目の位置をまさに視点として「パースペクティブ(遠近法)」をなしているということです。個々の表象は私の目の位置を中心として手前から遥か彼方にかけて連続的に配置されているのです。これは「私は空間の中心にいる」あるいは「空間の中心は私（私の目）である」ということを意味しているでしょう。また、私たちは視界にあるものをすべて見ているわけではないということにも留意しなければなりません。私たちが読書に集中しているとき、本の活字以外の物は視界の中には入っていても見えていないでしょう。つまり、私たちがその対象を見ようと「注意を向け」なければ、物は見えてこないのだということも忘れてはならないでしょう。

聴覚

次に、聴覚の表象すなわち「音」について考えてみましょう。ある音源が振動すると、その振動が空気を媒体として次々と伝わっていき、それが私たちの耳に到達すると、私たちはその空気の振動を「音」として知覚します。この構造は物から反射された光が目に到達して物が見えるという視覚の構造と基本的に変わりませんが、「音」にとって際立った特徴はその時間性です。視覚の表象は目を開ければ、一瞬にして目に飛び込んできますが、「音」は時間の経過とともに耳に聞こえてくるのです。

音には、たとえば、警笛のように同じ音が一定の時間、継続して聞こえるものもありますが、たいていは、鳥のさえずりのように前の音と後の音とが異なっており、それらが線状に配列されて、あるまとまりを構成しているものがほとんどでしょう。このように線状に配列された音が一定の速度で反復されつつ進行し、あるパターンとその変容を構成するようになれば、それは音楽の旋律（メロディ）になるでしょうし、また、その音のまとまり、特に人の喉から発せられた音声のまとまりに一定の意味が結びつけば、それは「言葉（音声言語）」になるでしょう。音楽も言葉も「音」のもつ時間性に決定的に依存しているのです。

最後に、視覚と同様に聴覚においても、「私は空間の中心にいる」ということ、つまり、音は前後左右から私（私の耳）に向かって聞こえてくるということ、また、音は私たちが聞こうと「注意を向け」なければ聞こえないということを確認しておきましょう。私たちは何かに熱中しているとき、人から話しかけられても気がつかないことがよくあります。私たちは目に映っているものをすべて見ているわけではないし、耳に伝わってくる音をすべて聞いているわけではないのです。私たちはそれらのなかから「注意を向けた」ものだけを見たり聞いたりしているのです。

身体感覚

次に、触覚について考えてみましょう。指がパソコンのキーボードに触ると、指先には平板で固い表面の感覚が生じます。また、カシミヤのマフラーを首に巻いたときには、普通のウールとは違う、しなやかで柔らかい感覚が首周りに生じます。これらの感覚が触覚の表象であり、触覚の感覚受容器は感じる程度の差はあるにせよ、身体の表面すなわち皮膚の全体に分布していると考えられます。そしてこのように、触覚は外部の物の情報を私たちにもたらしてくれますが、触覚の最大の特徴は、私たちに私たちの身体の在り処を教えてくれることでしょう。指先で身体を触ったときに指先に生じる肌触りの感覚によっても身体の輪郭は知覚できますが、むしろ触れられている皮膚の表面に生じる、触れられているという感覚が私たちの身体の輪郭を鮮明に浮かび上がらせてくれるのです。

触れられているという感覚は、皮膚の表面で生じていますが、同じく、熱さ・冷たさの感覚や圧迫されている感覚、つねったときの痛みの感覚も、皮膚の表面あるいは内側で生じています。これらを総称して「皮膚感覚」と言いますが、この皮膚感覚が生じる場所である皮膚が境界となって、私たちに私たちの身体の内と外を区別させるのです。なお、この皮膚感覚と筋肉や関節などの深部感覚を併せて「体性感覚」と呼んでいます。また、身体の内部には、このほか平衡感覚（これは、内耳にある前庭器官によって身体の水平・垂直状態を感じるものです）や内臓感覚なども生じていますが、体性感覚とこれらの感覚をまとめて「身体感覚」と呼ぶことがあります。この「身体感覚」が私たちに自分の身体の全体像と身体内の状態とその変化を教えてくれるのです。

すべての感覚は「身体空間」で生じる

私はこの章で「精神はどこにどのようにあるのか」という観点に立って論じています。したがって、私たちはそれぞれの感覚を身体のどこにどのように感じているのかを改めて確認しなければなりません。まず、視覚の表象は私の目に映っているわけですが、表象（視覚映像）

そのものは「私の身体の外」にあるように感じられます。また、聴覚の表象も私の耳に生じているわけですが、その表象（音）そのものも「私の身体の外」にある音源から聞こえてくるように感じられます。

外部からの情報を認知する感覚には、他に臭覚と味覚があります。臭覚の表象は私の鼻腔に生じますが、これも音と同じように、「私の身体の外」から匂ってくるように感じられます。次に、味覚の表象ですが、これは「私の身体の外」からやってくるというよりは、食べ物や飲み物が口の中や舌に直接触れた結果生じたものであり、むしろ「私の身体のうち」で生じていると言った方がいいかもしれません。いずれにせよ、これらの感覚は「私の身体の外」からやってきた刺激によって「私の身体のうち」に生じた感覚です。そして、それらの感覚が生じている場所は、顔の皮膚あるいは頭蓋骨の内部の目、耳、鼻、口がある位置と言っていいでしょう。

次に、「身体感覚」について考えてみましょう。触覚、温度感覚、圧覚、痛覚などの皮膚感覚は、皮膚の位置で感じられます。また、飢餓感や満腹感、膀胱や肛門の尿意や便意の感覚などの内臓感覚、頭痛や腹痛などの痛み、筋肉が収縮したり弛緩したりする感覚などは、「私の身体のうち」のそれぞれの位置で、そしてまた、平衡感覚は内耳の位置で感じられます。

このように見てくると、当然のことですが、あらゆる感覚はその刺激が「私の身体の外」からやってくるのか、「私の身体のうち」からやってくるのかの違いはあっても、身体の或る特定の位置において感じられます。今、皮膚に囲われて外界から区別された、この身体内の空間を「身体空間」と呼びましょう。そうすると、明らかにすべての感覚は「身体空間」内の特定の位置で生じていることになります。

ただ、「身体空間」といっても、特に、視覚、聴覚、臭覚、味覚などの感覚と内耳にある平衡感覚は、身体の特定部分である「頭蓋（とうがい）」の位置に集中しています。頭蓋は脳頭蓋と顔面頭蓋に分けることができ、視覚（目）、臭覚（鼻）、味覚（口）は顔面頭蓋に位置していますが、聴覚（耳）と平衡感覚（内耳）の位置は脳と顔面のどちらか判定しづらいので、これらの感覚が生じる場所をまとめて「頭蓋空間」と呼んでおきましょう。だとすれば、「私の身体の外」からもたらされる情報のほとんどは「身体空間」の中の特に「頭蓋空間」において知覚されると言ってよいでしょう。

この「頭蓋空間」にある感覚器官の特徴は、外に向かって開かれていることです。前に視覚と聴覚を検討したときに触れましたが、視界は私の目の位置を視点として「パースペクティブ（遠近法）」をなしており、個々の表象は私の目の位置を中心として手前から遥か彼方にかけて連続的に配置されています。また、聴覚についても、音は前後左右から私の耳に向かって聞こえてくるのです。今、この外の空間を「世界空間」と呼ぶとすれば、私の「頭蓋空間」は「世界空間」の中心にあり、「世界空間」は「頭蓋空間」の周囲に広がっていると言えるでしょう。そして、「頭蓋空間」「身体空間」と「世界空間」とは皮膚を境界として連続しているのです。

知覚と動作のメカニズム…各感覚の連携

最後に、私たちは物や私たちの身体をどのように知覚するのか考えてみましょう。検討するのは、指でパソコンのキーボードを触るという動作です。この動作について、３つのレベル（段階）を区別して記述してみましょう。それは、日常言語のレベル、脳内の情報伝達のレベル、「身体空間」における感覚のレベルの３つです。まず、日常言語のレベルでは、次のようになります。私は指とキーボードの位置を確認し、腕と手を動かして指をキーボードに近づけて触ります。この一連の動作を私は目で見ています。

第２の脳内の情報伝達のレベルでは、こうなるでしょう。後頭葉の視覚野に指とキーボードの刺激が入ってくると、その刺激は感覚野と運動野をつなぐ連合野に伝達され、そこで思考･判断がなされます。その決定により前頭葉の運動野から運動の指令が出され、腕や手の関節や筋肉が動いて、指がキーボードに近づきます。これらの動作はすぐに刺激となって、頭頂葉の体性感覚野に伝わり、手や指の位置が確認され、同時に視覚野の刺激と総合されて、連合野を経て再び運動野から指令が出されます。こうして､視覚と体性感覚の制御を受けつつ､指はキーボードに触れて、その感覚が体性感覚野に伝わると、動作は終了します。

第３の「身体空間」の感覚のレベルでは､次のようになるでしょう。まず「頭蓋(とうがい)空間」の目の位置で指とキーボードの視覚映像が生じ、次に、腕や手、指の関節や筋肉が動いている体性感覚が「身体空間」のそれぞれの位置で生じます。そして､指先がキーボードに触れたとき、「身体空間」の指先の位置に触覚の表象が現れて、同時に「頭蓋空間」の目の位置には、指がキーボードに触れている視覚映像が生じるのです。このとき、キーボードに触れている指先の感覚（触覚）と視覚映像とは皮膚を挟んで同じ場所にあります。私たちは私たちの身体のこの場所（キーボードに触れた指先）を「身体空間」の内側から身体感覚（触覚）として知覚しており、同時に「頭蓋空間」の目が身体の同じ場所を外側から視覚映像として知覚しているのです。つまり、私たちは私たちの身体を身体感覚と視覚によって、皮膚の内側と外側の両方向から知覚していることになるのです。

もちろん、私たちが自分の身体を知覚すると言うとき、普通は皮膚に囲われた｢身体空間｣内を身体感覚によって知覚すること､つまり｢体感」を意味しているでしょう。しかし､身体感覚が感じる「身体空間」の全体像は「頭蓋(とうがい)空間」に生じている身体の視覚映像から決定的な影響を受けています。そのことは、目を閉じて視覚からの情報を遮断したときにはっきりします。私の「頭蓋(とうがい)空間」には私の身体の視覚映像に似たもの（イメージ）が依然として残っていて、この身体のイメージが私の「身体空間」を明確に境界づけているのです。

逆に、私の目が「世界空間」内の物や私の身体を見ているとき、その視覚映像は「広がりと奥行き」をもった三次元的な立体的構造物として知覚されています。このとき感じられる立体感や重量感、表面の肌触り感などは特に触覚と結びついているでしょう。このように、視覚と身体感覚は互いに浸透し合い影響し合っているのです。これは、それぞれの感覚は完全に独立したものではなく、互いに連携し合い補い合っていることを意味しているでしょう。もし、私たちがもつ感覚が１つでも欠けていたら、私たちが知覚する世界は今とは別のものになっていたでしょう。

感情（情動）と扁桃体

次に、感情（情動）について考えてみましょう。快と不快を基本とする喜・怒・哀・楽の感情は、私の身体全体にわたって生じているように感じますが、位置を限定すれば「胸」が多いでしょう。喜びで躍るのも胸であり、悲しみで締め付けられるのも胸です。胸は「心」と言い換えてもよいでしょうが、ここには心臓があり、感情と血圧や心拍数が深く関係していることは十分に想像できるでしょう。

脳科学では、感情を司る主要な器官は大脳皮質の内側に位置する大脳辺縁系の「扁桃体」であるとされます。この扁桃体が快・不快を判断するとされるのです。大脳辺縁系には血圧や心拍数を調節する前帯状皮質も含まれますから、感情と「胸」とはまさに連動しているのです。また、扁桃体は感覚器官からの刺激を直接・間接に受け取るとともに、知性を司る「前頭前野」とも密接に関係しているとされます。特に、扁桃体と同じく大脳辺縁系にあって記憶を司る「海馬」との関係は深く、海馬からの記憶情報をまとめて快・不快の判断をしたり、ある行動の快・不快の情報を海馬に送ってそれを記憶させたりと、常に情報が行き来しているとされます（「大脳辺縁系のおはなし」Akira Magazine）。

プラトンの魂の比喩を出すまでもなく、特に西洋においては、知（知性）・情（感情）・意（意志）という３つの精神活動のうち、人間にとって最も相応しい精神活動は知性（理性）であり、感情（情動）は動物に近いレベルの低い精神活動だと考えられてきました。感情は食欲や性欲などの動物的欲求に支配されており、ときに私たちを衝動的・激情的な行動に駆り立てます。このような感情を知性（理性）がうまく抑制しコントロールするところに、人間の魂の善さすなわち「徳」があると考えられてきたのです。

知性（理性）を司る前頭前野が扁桃体の興奮を抑制し衝動的・激情的な行動をコントロールしようとしても興奮が収まらない場合、いわゆる「感情の暴走」が起こります。また、外見上、知性が感情をうまくコントロールできたように見えたとしても、扁桃体の興奮が完全に収まらないときには、ストレス状態が継続することになります。精神医学においては、このストレス状態つまり恐怖や不安の感情の持続が胃潰瘍や心筋梗塞、高血圧、うつ病などの原因になることが指摘されています。また最近の研究では、ホルモンなどの分子レベルの情報伝達の仕組みも明らかになりつつあり、身体に触れてやると体性感覚が刺激され、脳下垂体からオキシトシンというホルモンが分泌されて、扁桃体の興奮が鎮静化することも報告されています（「大脳辺縁系のおはなし」Akira Magazine）。感情（情動）をコントロールするのに、知性（理性）以外にも様々なシステムがあることがわかってきたのです。

感情（情動）の「二経路説」

近年の脳科学・認知科学の発達には目覚ましいものがあります。特に、fMRI（機能的磁気共鳴画像法）などの脳活動計測装置の開発により、脳と精神活動の関係についての研究は急速に発展しました。感情（情動）についての研究では、アメリカの神経心理学者ルドゥーが画期的な説を唱えました。それが「二経路説」（1987年）です。「二経路説」とは、感覚器官からの情報は、脳幹にある視床から直接に扁桃体にもたらされる経路と、視床から大脳皮質を経由して扁桃体にもたらされる経路の二経路があるという説です。直接経路からの情報は、扁桃体の周辺部位を刺激して血圧や心拍数の変化などの生理的反応を引き起こします。一方、間接経路では、大脳皮質において思考・判断・記憶などの高度な認知機能が施され、これが生理的反応と結びついて特定の感情（情動）を生じさせるというのです（安西祐一郎『心と脳—認知科学入門』）。

以前は、扁桃体は動物の古い脳に由来する部位であり、動物が生命の危険を察知した（たとえば、ヘビを見た）とき、直ちに「恐怖」の感情（情動）が引き起こされて危険を回避する行動を取らせると考えられていました。しかし、この「二経路説」によれば、感覚情報の直接経路だけでは生理的反応を引き起こすだけであり、その反応が「恐怖」なのか「怒り」なのかはまだ不明です。その反応が「恐怖（こわい！）」という感情（情動）であると認知するのは、自分が置かれている今の状況や過去の記憶などを総合的に思考・判断する大脳皮質、特に知性を司る前頭前野のはたらきによるのです。つまり、感情（情動）は知性（理性）のはたらきによって初めて成立することになるのです。

1980年代前半に、アメリカの心理学者エクマンは、ヒトが顔の表情から読み取る感情の種類は文化の違いを越えて似通っていることを見出し、基本感情を、怒り、恐れ、幸福感、嫌悪、悲しみ、驚きの6

種類に分類しました（安西祐一郎『心と脳―認知科学入門』）。ヒトがこのように豊かな感情をもちうるのも、他の動物に比べて卓越した知性をもつが故であり、ルドゥーの「二経路説」を援用すれば、ヒトは通常、直接経路よりも、大脳皮質を経由する間接経路を通じて多くの感覚情報を処理して、感情を調整していることになるのです。知性が感情を抑制するだけでなく、感情の成立そのものにもかかわっていることが明らかになったことは、精神（心）における感情（情動）の位置づけを再評価するきっかけになったと思われます。

3　知性（理性）

「思考の表象」

前節でも触れましたが、大脳皮質は機能的に大きく３つの領野に分かれます。感覚情報を知覚する感覚野と運動の指令を出す運動野とその両者をつなぐ連合野です。この連合野が思考・判断・記憶・情操などの高次の精神活動を担っており、私たちの知性（理性）や意志のはたらきを構成しているのです。特に、この連合野の代表的な部分が前頭葉の「前頭前野」です。この部分は私たちの脳のなかで最も新しく形成された部分であり、まさに霊長類ヒト科を特徴づける部位になります。本節では、この部位の活動のうちの知性の作用つまり「考える」ということについて見ていきます。まずは、私たちが考えているとき、私たちの脳裡すなわち「頭蓋空間」においてどのような事態が生じているのかについて検討していきましょう。

今、私が「ゴッホのひまわりの絵は、燃えるような花弁に特徴がある」と考えたとしましょう。このとき、私の「頭蓋空間」にはある表象が生じています。これを「思考の表象」と呼びましょう。では、この「思考の表象」とはいかなるものでしょうか。端的にそれは「言葉」すなわち音声言語でしょう。「ゴッホのひまわりの絵は、燃えるような花弁に特徴がある」と考えることは、「頭蓋空間」において「ゴッホのひまわりの絵は、燃えるような花弁に特徴がある」という「言葉」を聞くことなのです。この言葉は、誰か他者が発した言葉ではなく、「頭蓋空間」において私自身が私自身に向かって発した言葉であり、私がその言葉を聞いているのです。したがって、「考える」ことは「言葉を聞く」ことと密接な関係をもっていることがわかるでしょう。この意味で、マルクス・エンゲルスが「言語は意識と同じように古く（同年齢であり）、…言語は現実的な意識である」（『ドイツ・イデオロギー』）と言ったのはまったく正しかったのです。

また、「ゴッホのひまわりの絵は、燃えるような花弁に特徴がある」と考えているときには、私の「頭蓋空間」にはゴッホのひまわりの絵の「映像（イメージ）」が浮かんでいるでしょう。さらには、ゴッホの肖像画や燃え盛る炎などの映像も浮かんでいるかもしれません。さらに、私はこのとき「文字言語」の映像も浮かんでいると考えています。たとえば、「愛」について考えるとき、私の「頭蓋空間」には、「アイ」という音声と「愛」という文字と、男女が睦み合う姿や母親が幼子を慈しむ姿などが浮かんでいるでしょう。このように、「考える」ことは「聞く」ことと「見る」ことと密接な関係をもっているのです。

「質料的」な表象と「形相的」な表象

もちろん、「思考の表象」は「聴覚の表象」とも「視覚の表象」とも違います。では、ゴッホのひまわりの絵を直接見ているときに「頭蓋空間」の目の位置に生じるひまわりの絵の視覚映像と、その絵を「頭蓋空間」に思い描いたときに生じる「映像（イメージ）」とはどこがどう違うのでしょうか。「頭蓋空間」に思い描いたゴッホのひまわりの絵の「映像（イメージ）」は、目（感覚器官）を通して直接にもたらされたものではなく、それがいったん記憶に変容されて、記憶の中から想起されたものです。実際に見ている視覚の表象は生き生きとした実質的な内容を伴っているので、これを「質料的」な表象と呼びましょう。いわゆる「生（なま）の映像」です。しかし、思い描いたひまわりの絵の「映像（イメージ）」は、「生の映像」がいったん記憶に変容され、想起されたものですから、このような「思考の表象」からは生き生きとした実質は失われています。私はこれを「形相的」な表象と呼びたいと思います。「思考の表象」を「形相（エイドス）」と考えるのはギリシア哲学以来の伝統でもあるからです。ただ、この「思考の表象」はプラトンの「イデア」のような「真実在」を指すものではありません。あくまでも「考えられたもの」「思考の対象」という意味です。

ただし、この「質料的」と「形相的」という区別は視覚映像などの「感覚の表象」について言えることだということに注意しましょう。これに対して「感情の表象」は、たとえば悲しい出来事を思い出したとき、その当時の感情が実質的に、つまり「質料的」な表象として甦（よみがえ）ってくるように感じることが多いでしょう。それは「悲しい出来事（思考の表象）」を想起することによって、感情を司る部位（大脳辺縁系）が再び刺激されるためにそのように感じるからでしょう。感情の表象はそれが「身体空間」に生じるときには、いつも「質料的」に生じるのです。ただ、記憶は時間の経過とともにその鮮明さが薄らいでいきます。悲しい感情も時間とともに次第に癒（いや）されていくのです。

「思考の表象」と「ワーキングメモリ」

前節では、感覚の表象と感情の表象は、「頭蓋（とうがい）空間」あるいは「身体空間」の特定の位置に生じていることを確認しました。そして、「思考の表象」も同じく「頭蓋空間」の「脳」の位置に現れています。私は「頭蓋空間」の「脳」の位置で「ゴッホのひまわりの絵は、燃えるような花弁に特徴がある」という私自身の声（「思考の表象」）を聞いているのと同時に、やはり「頭蓋空間」の「耳」の位置で、部屋の中の掛け時計のチクタク音（「聴覚の表象」）を聞いているのです。もちろん、両者は質感が異なります。時計のチクタク音は「生の音」であり「質料的」な表象ですが、「思考の表象」は実質のない「形相的」な表象です。しかし、両者は私の「頭蓋空間」内で隣り合って生じているのです。そして、このことは私の「頭蓋空間」は私の身体の外の「世界空間」と連続しているということを意味しているでしょう。

私は「思考の表象」は「生の質料的」な表象ではないにしろ、言葉と視覚映像とから成る「形相的」な表象であると考えています。それゆえ、「考える」ことは「聞く」ことと「見る」ことと密接な関係をもっていると主張するのです。この主張の根拠となるものとして、認知心理学の「ワーキングメモリ」の考え方が挙げられるでしょう。この語は「作動記憶」と訳されますが、情報を一時的（短期的）に保ちながら、同時にそれを処理する構造（能力）のことを指します。この「ワーキングメモリ」の構造は３つの部品から成り立っていると考えられています。言語的短期記憶である「音韻ループ」と視空間的短期記憶である「視空間スケッチパッド」と「中央実行系」です。「中央実行系」は「音韻ループ」と「視空間スケッチパッド」における適切な情報に注意を向け、それを処理する高度な認知活動を行います（「児童・生徒のワーキングメモリと学習支援」広島大学）。

「ワーキングメモリ」は知性（理性）の活動のなかでも最もポピュラーな、会話や読み書き、計算などの活動の基礎になるものです。私たちは、会話する際、相手の話す内容を一時的に記憶し、その意味を考え応答します。そして、前の情報はどんどん忘れていきます。つまり、私の「頭蓋空間」には「思考の表象」が次々に浮かんでは、次々に消えていくのです。ですから、一時的に（リアルタイムに）「頭蓋空間」に浮かんでいる「思考の表象」は言葉にすればわずか数語でしかないでしょう。これは、「ワーキングメモリ」の「中央実行系」が一度に処理できる、つまり「注意を向ける」ことができる情報量には限りがあることを意味しています。私は前節で、私たちは目に映っているものや耳に伝わってくる音のすべてを見たり聞いたりしているわけではなく、それらのなかから「注意を向けた」ものだけを見たり聞いたりしているのだと指摘しましたが、その理由の１つとして、「ワーキングメモリ」の容量の少なさが考えられるでしょう。

「ワーキングメモリ」と言語中枢

今、友人と会話している場面を想定して、そのときの状況を脳内の情報伝達のレベルで記述してみましょう。友人が、「君はゴッホのひまわりの絵をどう思うか」と聞きました。この音声言語が側頭葉の聴覚野で聞き取られ、すぐにウェルニッケ野（感覚性言語中枢）に伝達されます。ウェルニッケ野は脳の左半球にあって聴覚野を囲むように存在していて、音声言語の理解に関係しているとされます。ここで友人の問いの意味が解釈され、その情報は変容（おそらくこの段階で、言葉と映像（イメージ）の結合である「思考の表象」が形成されるのでしょう）しながら連合野内を伝わっていき、最終的に同じく左半球の前頭葉にあるブローカ野（運動性言語中枢）に到達します。このブローカ野から隣接する運動野を経由して、舌・口・声帯などに指令がいき、言葉が発せられるのです。

このウェルニッケ野からブローカ野へ情報が移動していく過程で、「ワーキングメモリ」が作動するのです。「中央実行系」が「音韻ループ」と「視空間スケッチパッド」を駆使して、言葉と言葉、言葉と映像（イメージ）を結びつけたり離したりしながら、やがて、「ゴッホのひまわりの絵は、燃えるような花弁に特徴がある」という「思考の表象」（文）を産み出します。この「思考の表象」がブローカ野からアウトプットされ、発話されるのです。

ウェルニッケ野とブローカ野は同じく言語中枢であっても、それぞれ独立した部位でその機能は大きく異なります。言語中枢が損傷したとき発症するのが失語症ですが、ブローカ野が損傷したときは、言葉の意味は理解できても、発話することがうまくできなくなります。また、ウェルニッケ野が損傷した場合は、なめらかに話すことはできても、言葉の意味が理解できないので、意味不明な話になりやすいようです（「失語症」コトバンク）。この他にも言語機能を司る部位は多く存在しており、私たちの精神活動の大半は言語に依存していると言っていいでしょう。

音楽と知性（理性）

「言葉（音声言語）」は聴覚野と密接に関係していますが、おそらく「言葉」以上に聴覚野と深く関係しているのは「音楽」でしょう。音楽の情報が感情（情動）を司る大脳辺縁系の扁桃体に達すると、それが優雅なクラシック音楽であれば、私たちはうっとりとした心地よさを感じるでしょうし、それが力強い太鼓のリズムであれば、魂を揺さぶるような躍動感を感じるでしょう。音楽は私たちの感情（情動）に非常に大きな影響を与えるのです。そして、大脳辺縁系は前頭葉の前頭前野ともつながっていますから、感情（情動）が知性（理性）の認知機能と深く関係していることは前節で見たとおりです。特に、音楽は言葉と同じ「音」ですから、「思考の表象」に与える影響は、他の感覚表象に比べても大きいように思われます。

この音楽と知性（理性）の認知機能の関係について、以前、非常に感動した出来事があったので、それを紹介しましょう。それは、テレビである実験を見たことでした。その実験とは、BGM を変えることによってビデオ映像の印象（解釈）がどのように変わるかを調べたものです。そのビデオ映像とはこういうものです。「ある 1 人の中年男が、思いつめた表情でややうつむき加減で廊下を歩いて行く。彼はふと立ち止まり、こぶしを軽く握りしめ、やがて顔を上げ目線を天井の方に向けた」。もちろん、台詞（せりふ）はありません。

この 1 分にも満たない短い映像に、実験 1 では、BGM として暗くて弱々しい感じの音楽が流れていました。そして最後に、「リストラを宣言された中年男の悲哀」というテロップが流れました。一方、実験 2 では、同じ映像にやや感情を抑えた力強い BGM を流し、最後の目線を上げるシーンで力強さはピークに達しました。この映像のテロップは「新たなミッションに闘志を燃やす企業戦士」でした。

私はその印象の違いに驚いてしまいました。同じ映像が BGM を変えただけで、全く違った状況を演出していたのです。もちろん、テロップが流れる前に、「リストラを宣言された中年男の悲哀」や「新たなミッションに闘志を燃やす企業戦士」といった「思考の表象」が私の「頭蓋（とうがい）空間」に浮かんでいたわけではありませんが、そのテロップを見たとき、大きくうなずいてしまったのです。映像を見終わった直後に抱いていた「思考の表象」を言葉でアウトプットしたら、まさにそのとおりになっていただろうと思ったからです。そのとき私は、私たちの知性（理性）は決して中立的なものではなく、感覚や感情（情動）に決定的と言えるほどの影響を受けているということを実感したのです。

知性が感覚や感情の影響を受けるだけではありません。感情もまた知性の影響を受けます。物事をポジティブに考えようとすれば、落ち込んでいた気持ちも和らぐことは誰もが経験していることでしょう。

さらには、無理にでも笑顔を作れば（これは、知性が顔の表情を介して感情にはたらきかけるということでしょう）、気持ちが軽くなり、考え方も何となくポジティブになります。このように、知性と感覚・感情とは独立したものではなく、互いに深く影響し合っているのです。

4　意志

意志（意思決定）の２通りの解釈

私は本章を、哲学は認知科学や脳科学の知見をできるだけ取り入れるべきであるという考えに基づいて論じてきました。ところが、「意志」ということになると、今までと少し事情が違うように思います。というのは、現在の認知科学や脳科学においては、そもそも「意志」という言葉がほとんど使われていないのです。これらの分野では、「意志」という言葉ではなく、法律用語でもある「意思」（これは、「単なる考えや思い」という意味です）という言葉が使われ、何らかの判断を下すことを「意思決定」と呼んでいるのです。

そこで、わが国の代表的な２つの辞典で、改めて「意志」について調べてみました。

1　広辞苑第五版

①（哲）道徳的評価を担う主体。理性による思慮・選択を決心して実行する能力。知識・感情と対立するものとされ、併せて知・情・意という。

（心）ある行動をとることを決意し、かつそれを生起させ、持続させる心的機能。

②物事をなしとげようとする、積極的な志。

2　大辞林第三版

①考え、意向。

②物事をなしとげようとする積極的なこころざし。

③（哲・倫）ある目的を実現するために自発的で意識的な行動を生起させる内的意欲。道徳的価値評価の原因ともなる。

④（心）生活体が示す目的的行動を生起させ、それを統制する心的過程。反射的・本能的な行動とは区別される。

この２つの辞典の表記を比較して言えることは、まず、日常的な使用については、「物事をなしとげようとする積極的な志」という意味で、これは共通しています。また、心理学の用語としても、「ある行動を生起させ、それを持続・統制する心的機能や過程」を指す点で共通していますが、広辞苑では、特に「決意」という語が使われており、何かを決めるという意図が強調されています。大きな違いは哲学的意味に現れています。両辞典とも「道徳的価値評価の主体・原因」である点は共通しているのですが、広辞苑では、「理性による思慮・選択を決心して実行する能力」、大辞林では「ある目的を実現するために自発的で意識的な行動を生起させる内的意欲」となっているのです。

ここからわかってくるのは、意志は「ある目的を実現させる能力」つまり「実行（実践）力」を意味しますが、広辞苑では（知・情・意の独立性には触れているものの）、その能力は思考・判断などの知性（理性）と結びついていると解釈されており、大辞林では、意欲つまり欲求や欲望などと同じく感情（情動）と結びついていると解釈されているのです。つまり、意志は知性（理性）に由来するのか、感情（情動）に由来するのか２通りの解釈の仕方があるということなのです。

本章のはじめに、私は精神を、道路（世界）を走る自動車にたとえました。自動車の車体が身体であり、タイヤが感性（感覚）でした。エンジンは感情（情動）です。エンジンは車体を動かす原動力を生み出します。そして、ハンドルが知性であり、運転手である意志がハンドルを操って自動車を進めていくというイメージでした。しかし、両辞典の解釈からすると、意志が運転手（主体）であるというイメージは、道徳的実践つまり倫理学においては妥当するでしょうが、今問題にしている認識論（実際には、かなり認知科学の分野に入り込んでいます）においては相応しくないようです。認識論（認知科学）における意志は、主体ではなく判断すなわち意思決定というはたらきとして捉えるべきなのです。したがって、ここで問題とすべきは、私たちが何かを判断・意思決定するとき、それを遂行するのは知性（理性）なのか感情（情動）なのかということなのです。

大脳基底核とドーパミン

近年、脳科学では、意思決定を司る主要な器官として「大脳基底核」が注目されています。大脳基底核は感情（情動）を司る大脳辺縁系よりもさらに内奥にあり、脳幹を囲む位置にあります。この大脳基底核にある線条体は大脳辺縁系および大脳皮質と情報を交換しています。線条体は前頭葉の運動野との結びつきが強く、以前から運動、特に随意運動のはたらきを支えていることが知られていましたが、最近の研究では、中脳から放出されるドーパミン（快や意欲に関係している神経伝達物質）の作用を受け、運動だけでなく、思考の要素を系列化したり、刺激と反応を関係づけて記憶したり、さらには社会的な報酬や罰の評価を行っていることがわかってきました（安西祐一郎『心と脳—認知科学入門』）。

ここで、ドーパミンについて補足しておきましょう。大脳基底核の線条体はドーパミンの作用を受けて運動機能を調節しており、線条体のドーパミン量の低下が運動機能障害であるパーキンソン病の発症と関係していることがわかっています。また、ドーパミンと報酬の評価

（予測）との関係で言えば、報酬つまり利益が得られそうだと予測（期待）した時点で、中脳からドーパミンが放出されることがわかっています。この報酬への期待が積極的な意欲（やる気）を産むのでしょう。また、ドーパミンには、前頭前野のワーキングメモリ（作動記憶）などの認知機能を調節するはたらきがあることもわかっています。つまり、報酬（利益）への期待が意欲を産み、意欲が高まることによって認知機能も高まるという関係があると考えられるのです（「ドーパミン」脳科学辞典）。

意思決定のメカニズム…「強化学習」

ここからは、意思決定のメカニズムに関する 2 つの論文を参照しながら考えていきたいと思います。それは中原論文（中原裕之、「脳の計算理論：強化学習と価値に基づく意思決定」RIKEN BSI ITN Technical Report No 14-01、2014）と坂上・山本論文（坂上雅道・山本愛実、「意思決定のメカニズム―顕在的判断と潜在的判断―」科学哲学 42-2（2009））です。これらの論文は、「強化学習」という情報処理（脳計算）モデルを用いて意思決定のメカニズムをわかりやすく説明しているので、おおいに参考になると思います。

中原によれば、意思決定には行動の選択が伴い、その選択は報酬予測（価値）に基づいて行われます。そして、予測を学習できることが適切な意思決定につながるとされます。この報酬予測（価値）の脳計算理論が「強化学習」です。「強化学習」とは、「エージェント（意思決定者）」が与えられた環境において「状態」を観測し、その状態における選択肢の中から報酬を得るためのいずれかの「行動」を選択します。価値とはこの行動選択をするための予測報酬であり、報酬予測誤差（＝実報酬－予測報酬）は将来の予測（および行動選択）を改善するための学習信号として機能します。そして、報酬予測の学習は報酬予測誤差の減少を目指すという理論です。つまり、エージェント（意思決定者）はある行動を選択したことによって報酬が得られれば、次も同様の行動を取るし、もし報酬が得られなければ次からはその行動は取らないというように学習していくのです。端的に言えば、強化学習とは、意思決定は利益が得られ、損失を回避できることを学習信号としてなされるという理論なのです。

潜在的（無意識的）過程と顕在的（意識的）過程

中原そして坂上・山本はともに、脳においてこの報酬予測関連活動が見られる部位が、大脳基底核の尾状核（線条体の一部）と前頭前野内側部を中心とする２つの領域であることを指摘しています。その際、坂上・山本は次のような実験を紹介しています。実験協力者に２枚の異性の写真を２度ずつ呈示して、２度目の呈示の後どちらが好みかを聞き、そのときの脳活動をfMRI（機能的磁気共鳴画像法）を使って測定するというものです。この実験では、好みの写真が１度目に呈示された際に強く応答したのが大脳基底核で、２度目の呈示の際にはその応答は消え、前頭前野内側部に応答が見られたことが確認されました。この結果から、坂上・山本は、大脳基底核の応答は意思決定の潜在的（無意識的）な選択過程に、また前頭前野内側部は先の潜在的（無意識的）な選択を受けて顕在的（意識的）に理由付けを行う過程に関係していると推測しています。

また、坂上・山本は別の実験も紹介しています。この実験は実験協力者に、コンピュータ画面上の多数の白い点が全体として左右どちらの方向に動くかを判断させるもので、実験協力者の判断にかかわらず、左方向に移動したときだけ報酬（ジュース）を与えるというものです。したがって、実験協力者は白い点がどちらに動くかを判別しながら、同時に報酬の有無も予測することになりますが、このときも大脳基底核と前頭前野内側部に報酬予測関連活動が確認されました。この実験は課題の難易度を変えて行われましたが、課題が易しいときは大脳基底核の活動が活発で、課題が難しいときは前頭前野内側部の活動が活発になることが確認されました。この結果から、坂上・山本は、二系統の意思決定の情報処理過程のうち、大脳基底核を中心とした領域では、刺激と報酬の関係を客観的に反映した形で価値の生成がなされ、前頭前野内側部を中心とした領域では、外部刺激の情報を補完する形で主観的な知覚判断に基づく価値の生成がなされていると推測しています。

以上の実験結果から、坂上・山本は、私たちの意思決定には前頭前野内側部が関係している顕在的（意識的）情報処理過程と、大脳基底核が関係している潜在的（無意識的）過程の 2 つの異なる回路が存在すること、また、時には、潜在的過程が下した結論を顕在的過程が受け取り、それをあたかも顕在的過程の「思考」の結果のように捉えることがあることを指摘しています。このように私たちの意思決定において、意識的・自覚的な過程（回路）と無意識的な過程（回路）が別々に存在していることが確認されたことの意義は大きいでしょう。

「モデルフリーシステム」と「モデルベースシステム」

さらに、坂上・山本は「モデルフリーシステム」と「モデルベースシステム」に言及しています。「モデルフリーシステム」は、事象と報酬の関係を確率的（自動的）にコード化したものであり、このシステムは大脳基底核を中心とした神経回路によって実現されていると考えられています。一方、「モデルベースシステム」は、事象と報酬の関係を「内部モデル」を形成することでコード化したもので、このシステムでは前頭前野を中心とする大脳皮質内の回路が重要な役割を果たしており、顕在的（意識的）な意思決定と密接な関係があるとされます。

「モデルフリーシステム」は安定した環境の中で自動的にすばやく行動決定するためにきわめて有効であり、私たちの行動決定のほとんどが、潜在的（無意識的）情報処理系であるこのシステムに依存していると言ってよいでしょう。しかし、私たち（霊長類ヒト科）の意思決定の特徴は、目先の小さな報酬に囚われず将来のより大きな報酬を得るための行動を選択できることにあります。つまり、一見関係ないように見える事象と報酬を結びつける「内部モデル」を形成する「モデルベースシステム」こそ、前頭前野が飛躍的に発達した私たち（霊長類ヒト科）の意思決定の特徴と言えるのです。

さらに、坂上・山本は前頭前野損傷患者の意思決定の特徴について述べています。彼らは賭け事をする場合、損をするとわかっていても、大きな金額をすぐに手に入れたいという衝動を抑えることができませんし、また、招待された他人の家で、ベッドルームを見た途端、服を脱いでベッドに入り込もうとした例なども紹介しています。前頭前野損傷患者は、習慣化した確率的（自動的）な意思決定システム（これは大脳基底核に依存しています）は維持されていますが、状況に応じた自覚的な意思決定の制御には問題があるのです。こうして、坂上・山本は、私たちの意思決定は「モデルフリーシステム＝潜在的（無意識的）過程＝大脳基底核」と「モデルベースシステム＝顕在的（意識的）過程＝前頭前野」の協調と競合によって成り立っていると結論づけています。

知性（理性）と感情（情動）の協調と競合

脳はもともと感覚器官によってもたらされた情報を受け取り、それを処理して運動器官へと伝達する情報処理装置です。原始的な動物の脳の場合、その処理は反射や不随意運動などの単純なものですが、私たち人間の脳になるとその処理過程は複雑になり、感覚と運動との間に感情（情動）や思考（知性）という過程が介在してくることになります。とはいえ、情報処理装置としての脳の機能は、感覚からの入力を受け、最終的にある1つの運動を選択（出力）することにあり、その選択の過程が「意思決定」と呼ばれるのです。

現在では、その意思決定には、前頭前野の意識的過程と大脳基底核の無意識的過程の2つの回路があることがわかってきたのですが、以前は意思決定の無意識的過程は感情（情動）を司る大脳辺縁系が関係していると考えられていました。それが、大脳基底核が意思決定の無意識的過程に関係していることが明らかになったのは、fMRI（機能的磁気共鳴画像法）などの脳活動計測装置の開発が大きく貢献しています。しかし、私はあえて意思決定は知性（理性）による意識的過程と感情（情動）による無意識的過程との協調と競合の上に成り立っていると主張したいと思います。なぜなら、まず大脳辺縁系も大脳基底核も大脳の一部ではありますが、新皮質とは区別される古い脳（本能）と関係が深いこと、また感情（情動）が知性（理性）と対立すると考えることは、私たちの素朴な実感と合っているからです。私たちは理屈ではこうすればよいということがわかっていても、気持ちや気分のままに行動してしまい、後で後悔するという経験を嫌というほどしているはずです。そのとき、私たちが感じるのは知性（理性）と感情（情動）の対立であり、その対立は多くの場合、感情（情動）が勝ってしまうことが多いのです。知性（理性）が感情（情動）をうまくコントロールできる人は、まさに「意志」の強い人であり、リスペクトの対象となるでしょう。

「プロスペクト（見込み・期待）理論」

私は、先の「3　知性（理性）」の節で、同じビデオ映像がBGM

を変えたことによってまったく別の印象を与えるという事例を紹介しました。そのとき、知性（理性）は決して中立的なものではなく、感覚や感情（情動）に決定的な影響を受けていると言いましたが、最後に、私たちの意思決定がいかに合理的でないかを証明した学説を紹介したいと思います。その学説はアメリカの心理学者·行動経済学者カーネマンが提唱した「プロスペクト（見込み・期待）理論」（1979年）です。この学説は、人間が常に合理的な意思決定をすることを前提にして理論が組み立てられていた経済学を大きく変えてしまいました。

プロスペクト理論は、人はどちらのくじを選択するかというモデルのもとで展開されます。まず、賞金がもらえるくじの場合。Aは「100%の確率で4,000円もらえる」、Bは「80%の確率で5,000円がもらえるが、20%の確率でハズレ（0円）」という2つのくじがあるとします。このとき、期待値はA、Bともに4,000円で同じなのですが、ほとんどの人がAのくじを選びます。次に、罰金を払わされるくじの場合。Aは「100%の確率で4,000円の罰金を支払う」、Bは「80%の確率で5,000円の罰金を支払うが、20%の確率で罰金なし」という2つのくじがあるとします。この場合も、期待値はA、Bともにマイナス4,000円で同じなのですが、今度はほとんどの人がBのくじを選ぶというのです。

このくじ選択の例から導かれる結論は、「同じ規模の利得と損失を比較すると、損失の方が重大に見える」というものです。これが「プロスペクト理論」です。確率論から言えば、賞金がもらえるくじも罰金を払わされるくじもAとBは同じ期待値になるのですから、どちらを選んでもいいはずです。しかし実際には、賞金がもらえるくじの場合は、Bのハズレが出るリスクを避けて、確実に4,000円もらえるAが選ばれ、罰金を払わされるくじの場合は、今度は逆に、確実に4,000円損をするAを避けて、たとえ罰金が5,000円になるリスクはあっても罰金がなしになる可能性があるBが選ばれるのです。

このプロスペクト理論のポイントは次の点にあります。まず、私たちは、利得よりも損失を避けることを優先する傾向があること（損失回避性）。次に、利益が出ているときは安定志向になるが、損失が出ているときはリスクを冒してでも利益を目指そうとする傾向があること。この他にも、金額が大きくなるほど価値の感じ方は小さくなることや、確率は正しく認識されないなどの傾向が認められています。このように私たちの意思決定には、合理的な説明ができない思考の「バイアス（偏り）」がかかってしまうのです（「プロスペクト理論とは？行動経済学をビジネスに応用する方法」STUDY HACKER）。

先ほど、坂上・山本論文の中で、前頭前野損傷患者が賭け事をする際、損をするとわかっていても、大きな金額をすぐに手に入れたいという衝動を抑えることができないという事例を紹介しましたが、これはプロスペクト理論の「損失が出ているときはリスクを冒してでも利益を目指す」という傾向とどこが違うのでしょう。私たちは健常者であっても、日常的に合理的とは言えない意思決定をしているのです。

このプロスペクト理論は、当然のことながらビジネスにおいて活用されています。企業が「この商品を買わないと損をしますよ」と損失をアピールして購買意欲を高めることは当たり前になっていますし、内容を変えずに「表現方法（フレーム）」を変えただけで印象が大きく変わる「フレーミング効果」も私たちは日常的に経験しています。「この商品を購入した方の90%がリピーターになっています」と「この商品を購入した方の10%が二度と購入していません」とでは、同じことを言っているのに印象がまったく異なるのです。これは政治的なプロパガンダにも応用されています。

健全な精神は、健全な肉体に宿る

私たちは冷静にじっくり考えれば、たいていはこの思考の「バイアス（偏り）」に気がつくことができるでしょう。しかし、気がついたからといって、それを修正できるとは限りません。ギャンブル依存症はもちろん病気ですが、健常者であってもギャンブルをする人なら誰でもかかる可能性のある病気なのです。私たちは常に合理的に思考・判断しているわけではありません。プロスペクト理論によって、私たちの知性（理性）がもつ論理性が必ずしも合理的でないことが明らかになりました。それは知性（理性）がもともと感情（情動）あるいは本能による「バイアス（偏り）」を受けているということなのです。

私は今、プロスペクト理論のフレーミング効果とビデオ映像のBGM効果の類似性を改めて感じています。同じ情報内容が文章の表現を変えただけでまったく印象が変わるのと、同じビデオ映像がBGMを変えただけでまったく印象が変わるのとは、同じ原理なのです。感情（情動）の影響を受けない無色透明な認知機能は存在しないのです。私たちの意思決定は、知性（理性）だけの顕在的（意識的）な過程だけでなく、それと並行してあるいはそれに先立って、感情（情動）の潜在的（無意識的）な過程が進行しているのです。

では、私たちにとって知性（理性）よりも感情（情動）の方がより根本的なのでしょうか。そうとも言えないでしょう。「2　感性（感覚）と感情（情動）」の節で見たように、ルドゥーの「二経路説」によれば、感覚情報が直接に扁桃体にもたらされただけではただ生理的反応が引き起こされるだけであって、まだ感情（情動）にはならないのです。感覚情報は大脳皮質を経由する間接経路において高度な認知機能が施され、これが生理的反応と結びついてはじめて特定の感情（情動）となるのです。私たちの感情（情動）は知性（理性）があってはじめて成り立つのです。このように感情（情動）と知性（理性）は相互に影響を及ぼし合い支え合っているのです。

感情（情動）については、泣くから悲しいのか、悲しいから泣くのかが問題になったりしますが、どちらが先かを言い当てることにあまり意味はないように思います。悲しいという感情が泣く（涙が出る）という表情のことなのです。楽しいという感情が笑顔という表情のことなのです。それが自然なのであって、もし顔で笑って心で泣いているのだとすれば、それは悲しいという感情を知性が無理に抑えている不自然な状態なのです。このような抑圧が、心（精神）を病にさせるのです。感情（情動）が意欲を生み出します。しかし、怠惰な生活をしていたのでは意欲は湧きません。身体を動かすことによってはじめて気持ちが晴れやかになり、意欲（やる気）が生まれるのです。その結果、物事がポジティブに考えられるようになり、頭も冴えてくるのです。体調がすぐれなければ、感情もすぐれませんし、頭も働かないのです。当たり前のことですが、「健全な精神は、健全な肉体に宿る」のであって、健康が健全な精神を支えているのです。

人工知能（AI）と精神

私は本章で、精神（心）のはたらきについて、感性（感覚）、感情（情動）、知性（理性）、意志（意思決定）の４つの部分（機能）に分けて論じてきましたが、そこで明らかになったのは、それぞれのはたらきは個々に独立しているわけではなく、相互に連携し補い合っているという「協働」の姿です。私たちの知性（理性）ははじめから感覚や感情（情動）の影響を受けており、感情（情動）もまた知性（理性）の影響のもとに成立しているのです。そして、知性（理性）と感情（情動）との協働によって意思決定（意志）がなされるのです。知性（理性）のはたらきは意識的・自覚的な過程なので、私たちはそれを明瞭に認識できますが、感情（情動）のはたらきは意識に上らない、無意識あるいは意識下の過程が多く、それは身体の状態変化を反映したものになっています。この無意識の過程が私たちの行動あるいは生命活動を支えているのです。

私たちは、人間（霊長類ヒト科）を特徴づけるのはその名「ホモ・サピエンス（知恵の人）」が示す通り知性（理性）であるとずっと考えてきました。しかし、20 世紀末以降の人工知能（AI）の発展は目覚ましく、AI の囲碁プログラムが人間のプロ棋士に勝った（2015 年）ことは大きな話題となりました。計算機として生まれたコンピュータは、現在ではたんなる数値計算や記憶装置を越えて高度な情報処理やパターン認識を行う AI となったのです。その結果、AI はこれらの分野において人間の知性（理性）をはるかに凌駕するようになったのです。

このような AI の目覚ましい発展の背景には、コンピュータ科学における機械学習理論の進化があります。実は、本節で触れた「強化学習」もコンピュータの機械学習を認知科学に取り入れたものなのです。コンピュータ科学と認知科学・脳科学は互いに刺激し合いながら急速に発展してきました。現在、AI は人間の脳の神経細胞をモデルとして、自律的な学習を可能にする「ディープ・ラーニング（深層学習）」という段階に入っています。この段階に達した AI の囲碁プログラムが人間のプロ棋士を破ったのです。

AI の進歩によって、近い将来、現在人間が携わっている仕事のうちの 90％は AI に置き換えられるという説もあります。AI が得意とする分野は、計算や計測、単純なデスクワークなどの定形的業務などで、この分野の職業のほとんどは人件費のかからない AI やロボットに取って代わられるでしょう。一方、AI に仕事を奪われにくい分野としては、複合的な思考や複雑な判断が要求される仕事や定型にとらわれない仕事、抽象的な概念の理解が求められる仕事、専門的なコミュニケーションや交渉が求められる仕事などが挙げられています。このように高度で抽象的な思考・判断ができ、コミュニケーション能力を身に付けた創造的な知性が新しい人間知性（理性）の標準となっていくのでしょう。しかし、今の私たちのうちのどれだけの人がこの水準をクリアできるでしょうか。

AIにないもの、それは感情（情動）でしょう。人間らしさを象徴するものは、もはや知性（理性）ではなく感情（情動）であると言いたくなってしまいます。しかし、それも現実的ではありません。やはり人間は「ホモ・サピエンス（知恵の人）」であり、知恵によって多くの困難を乗り越えてきたのです。しかし、その人間の知恵はAI（人工知能）の知識とは違います。人間の知恵は機械的な知識ではなく、「生命」としての知恵なのです。AIは身体をもちませんが、精神は身体と結びついており、そこから様々な制約を受けるとともに、身体によって「生命」を維持しているのです。知性（理性）が単独の能力なら、やがて人工知能（AI）に追い越されてしまうでしょう。しかし、知性（理性）は感性（感覚）や感情（情動）と協働して、そしてまた、精神は身体と協働して「生きている」のです。知性（理性）を機械（AI）との比較において捉えるのではなく、「生命」のはたらきとして捉えることが21世紀の哲学には一層求められているのです。

参考文献

・デカルト『情念論』（谷川多佳子訳、岩波文庫、2015）
・カント『純粋理性批判』（上）（篠田英雄訳、岩波文庫、1975）
・デカルト『省察』（山田弘明訳、ちくま学芸文庫、2015）
・フッサール『デカルト的省察』（船橋弘訳、世界の名著51、中央公論社、1975）
・プラトン『国家』（上）（下）（藤沢令夫訳、岩波文庫、2008）

・「大脳皮質のおはなし」：Akira Magazine
〈https://akira3132.info/cerebral_cortex.html〉（2019/9）
・「感覚」：コトバンク〈https://kotobank.jp/word/〉（2019/10）
・「大脳辺縁系のおはなし」：Akira Magazine
〈https://akira3132.info/limbic_system.html〉（2020/5）
・安西祐一郎『心と脳―認知科学入門』（岩波新書、2011）
・マルクス、エンゲルス『ドイツ・イデオロギー』（古在由重訳、岩波文庫、1976）
・「児童・生徒のワーキングメモリと学習支援」：広島大学
〈https://home.hiroshima-u.ac.jp/hama8/working_memory.html〉（2020/5）
・「失語症」：コトバンク〈https://kotobank.jp/word/〉（2020/5）
・「ドーパミン」：脳科学辞典〈https://bsd.neuroinf.jp/wiki/〉（2020/5）
・中原裕之「脳の計算理論：強化学習と価値に基づく意思決定」（RIKEN BSI ITN Technical Report No 14-01 2014）
・坂上雅道、山本愛実「意思決定の脳メカニズム―顕在的判断と潜在的判断―」（科学哲学 42-2（2009））
・「プロスペクト理論とは？行動経済学をビジネスに応用する方法」：STUDY HACKER〈https://studyhacker.net/prospect-theory〉（2020/4）

第２章　存在するもの

1　西洋近代の観念論

プラトンの「洞窟の比喩」

私の前にはリンゴが置かれています。そのリンゴはみずみずしい赤い球体であり、独特の香りもしています。触ってみれば皮の表面は細かな粒々に覆われていて、かじればリンゴ特有の甘みと酸味が感じられるでしょう。普通の人なら、美味しそうなリンゴがある、食べたいなと考えるでしょうが、哲学者は違います。このリンゴの本当の姿は、今私が見たり嗅いだり触ったりしている、そのとおりにあるのだろうかと考え始めるのです。リンゴは私が見たり嗅いだり触ったりして知覚するそのとおりにあると考えれば、話はそれで済んでしまうのですが（子供なら、「このリンゴ美味しかったよ」でリンゴ問題は終了します）、哲学者は、私が今知覚しているのはリンゴの本当の姿なのだろうか、むしろ今私が知覚しているのはリンゴの仮の姿つまり「見せかけ」であって、リンゴの本当の姿つまり「リンゴそのもの」ではないのではないかと考え始めるのです。このように、哲学者は基本的に懐疑的なのです。

この「見せかけ」の背後に、「本物」が隠されているのではないかという思いはそれほど特別なものではないでしょう。むしろ、「本物」を見つけ出したいという思いは私たちに自然に備わっているもので、私たちの知的探究心を支えるものであり、この知的探究心によって私たち人類は文化・文明を築いてきたのです。ただ、現実に目の前にあるこのリンゴが仮の姿であって、本当の姿ではないと感じるとすれば、それは多かれ少なかれプラトンの影響を受けているように思われます。前章でも触れたプラトンの『国家』に出てくる「洞窟の比喩」はこの「見せかけ」と「本物」の関係を鮮やかに描き出しています。「洞窟の比喩」とは次のようなものです。

囚人たちが洞窟の底に住まわされ、子供のときから前だけを見るように身体を拘束されています。囚人たちの後ろには火と衝立があって、そこで操り人形を動かすと囚人たちの前に張られてあるスクリーンにその「影」が映るようになっています。したがって、囚人たちはこのスクリーン上の「影」のほかは何も見たことがないことになります。あるとき、彼らの１人が縛（いまし）めを解かれて、上の方の火と衝立があるところに連れて行かれて、今まで見ていたものがこれらの操り人形の影であることを知らされます。さらに、彼は洞窟の外に連れて行かれ、太陽の光の中で実物を見せられることになります。その囚人はすぐには自分が今まで見ていたものがそのような具にもつかないものであったことは信じないでしょう。まして、洞窟の外ではじめて太陽の光を見たときは、目がくらんでしまい何も見えないでしょう。しかし、やがて目が慣れてきて、彼は今見ているこの世界の事物こそが真実であること、そして太陽こそがこの世界の一切を管轄していることを知るようになります。洞窟の外にある個々の事物が「イデア（真実在）」であり、この世界に君臨している太陽が「善のイデア」です。

洞窟の外の真実の世界を見てしまった囚人が、前にいた洞窟の底に戻されたとしたらどうでしょう。彼は仲間たちに洞窟の外の様子を話すでしょうが、仲間たちはそれを理解できず、あの男は上に登って行ったために目をすっかりだめにしてしまったと言い、その囚人を解放して上に連れて行った者を憎悪するでしょう。プラトンはこの囚人の解放者に彼の師であったソクラテスの姿を重ねていると思われます。ソクラテスは若者たちが真理に目覚めるよう教育しましたが、その行為が誤解されて彼は処刑されてしまいました。またプラトンは、洞窟の外に出て「善のイデア」を知ってしまった囚人が哲学者であり、彼らが民衆を啓蒙し国家を統治する「哲人政治」こそが国家のあるべき姿だと考えたのでした。この「洞窟の比喩」によって、私たちが現実の世界だと考えているものは、実は真実在であるイデアの「影」にすぎないという思想が定着したのではないかと思われます。この古代ギリシアの「現実」と「イデア（真実在）」の関係は、中世・近代を経て「現象」と「本質」の関係として継承されていくことになります。

デカルトの「観念」

哲学に興味がある人ならもちろんですが、興味のない人でも一度は耳にしたことのある言葉に、「我思う、ゆえに我あり」という言葉があるでしょう。これは西洋近代哲学の祖といわれるフランスのデカルトの言葉で、哲学的命題の中でも最も有名な言葉です。ただ、多くの人は「我思う」を「私は考える・思惟する」と思っているでしょうが、実は、デカルトは人間の精神作用のすべてを「思惟する」と呼んでいるので、「思惟（考える・思う）」には感覚や意志のはたらきも含まれています。したがって、「我思う」は、たんに考えるだけでなく、感覚や意志のはたらきも含めた精神作用全般を指しているのであり、この言葉の本当の意味は「私は精神を活動させているがゆえに、私は存在している」ということなのです。

私たちの精神は、私たちのうちに様々な「観念」をもっています。現在では、「観念」というと一般に、「考えられたもの」や「思考の対象」を指しますが、デカルトの時代には、思考だけでなく、感覚や意志も含めた精神作用の対象全般を「観念」と呼んでいました。ですから、目に見える映像や耳に聞こえる音声などの感覚もみな「観念」と呼ばれていたのです（デカルトの「観念」は前章で私が「表象」と呼んでいたものと同じと考えていいでしょう）。西洋近代哲学はこの「観念」をどのように解釈するかを巡って展開することになります。

これら様々な「観念」を、デカルトはおもに3種類に分けて考えています。第1は「生得観念」で、これは人間の本性にもともと備わっている観念であり、私たちの精神に由来するものです。この観念には「神」をはじめとして「実体」や「数学」の観念など永遠の真理が含まれます。第2は「外来の観念」で、これには目に見える映像や耳に聞こえる音声などの「感覚」が含まれます。第3は「私自身によって作られた観念」で、これは架空のものすなわち「想像物」です。デカルトは、例として2つの異なった太陽の観念を挙げて次のように言っています。1つは実際に目に見える極めて小さい太陽で、これは感覚器官によってもたらされた「外来の観念」です。もう1つは、天文学を根拠として考えられた地球よりも何倍も大きな太陽で、これは「生得観念」に由来するか「想像物」かのいずれかです。そして、これら2つの太陽の観念は、どちらも私の外に存在する太陽そのものとは似ていないでしょうが、理性は、実際に目に見える小さな太陽の観念の方が、天文学を根拠にした大きな太陽の観念よりも太陽そのものには似ていないと私を説得する、とデカルトは言っています（『省察』第三省察）。つまり、目に見える小さな太陽（「外来の観念」）よりも、天文学が教える大きな太陽（「生得観念」あるいは「想像物」）の方が真理に近いと言うのです。

「観念」とその「原因（原型）」

ここから、デカルトは次のように議論を進めます。まず、私は、私とは別の或るものが私の感覚器官を通して観念を私に送り込むと信じてきたが、それは間違いであったと認めます。つまり、感覚を含めてすべての観念は私の外から送り込まれたのではなくて、私自身から出てくるのです。次に、観念にも様々あり、「実体」の観念は「様態」あるいは「偶有性」の観念よりも一層大きな何ものかであり、一層多くの客観的実在性を含んでいます。特に、「神」の観念は有限な「実体」の観念よりも一層多くの客観的実在性をもっているのです。さらに、この客観的実在性に関して言えば、原因のうちには結果のうちにあるのと同じだけの実在性がなければならないことは明らかだと言います。こうして、デカルトは「無からは何も生じない。より完全なもの、自己のうちにより多くの実在性を含むものは、より少ない完全性をもつものからは生じない」と結論づけています。

この「無からは何も生じない」ということは、観念には必ずその原因となる「原型」のようなものがあるということです。そして、観念がその「原型」である事物の映像のようなものであるとすれば、その観念が客観的実在性をもつならば、その観念の原因（「原型」）である事物は「形相的（現実的）」実在性をもつとされます。一方、ある観念の客観的実在性が大きいにもかかわらず、その観念の原因（「原型」）が私のうちにないとすれば、その観念の原因である事物は、私の外に現実的に実在していることになります。こうして、私すなわち「精神」が存在しているだけでなく、事物すなわち「物体」も私の外に存在していることが示されたのです。ただし、私（精神）のうちに「物体の観念」が見出されなかったとしたら、私は、私とは別の「物体」という存在を確信することはなかった、とデカルトは言っています。このように、「物体」が私の外に存在するにしても、私がそれを知りうるのは、私のうちにある「物体の観念」を通してであるという考え方を「観念論」と言います。そして、「観念論」はデカルトに限らず、西洋近代哲学の基本的な思考的枠組みになっているのです。

「物体」の観念

この後、デカルトは「物体」の観念について具体的に検討しています。物体の観念において、私が「明晰判明に」認識できるのは、「延長（大きさ・長さ・幅・深さ）」「形」「場所（位置）」「運動」「実体」「持続」「数」などです。その他としては、「光と色」「音」「香」「味」「熱と冷」「触覚的性質」などがありますが、これらは極めて不分明で不明瞭であるため、それが真であるか偽であるか私にはわからない、とデカルトは言っています。彼は、さらに、「明晰判明なもの」を「実体」「持続」「数」と「延長」「形」「場所（位置）」「運動」の 2 種類に分けますが、その違いは先ほどあったように、前者の観念すなわち「実体」の観念の方が後者の観念すなわち「様態」あるいは「偶有性」の観念よりも一層多くの客観的実在性を含んでいる、つまり、より完全で確実な観念だということなのです。

このように、デカルトは、「感覚」はあいまいなものであり、私が見ている色がその物本来の色であるかどうかわからないと言ったり、また、私が実際に見ている太陽よりも、天文学が教える太陽の方が本来の太陽により近いと言ったりしますが、「感覚」はいつも私たちを欺いてばかりいるのでしょうか。しかし、それほど深刻に悩むことはなさそうです。確かに、「感覚」を過度に信用することは避けなければなりませんが、たいていは私たちが感覚しているとおりに、「物体」は存在していると考えていいのです。なぜなら、神は誠実なので、私たちを故意に欺こうなどとは考えないからです。人間の認識能力は神によって保証されていると考えることも、この時代の基本的な思考的枠組みなのです。

ロックの「経験論」的観念論

デカルトは、知識の源泉を精神のうちの特に「理性（知性）」に置いていました。「感覚」は「外来の観念」であり、その原因は私の外にありましたが、明晰判明な「生得観念」は、「理性（知性）」にもともと備わっているのです。このように知識の源泉を私の外に求めるのではなく、私のうちの「理性（知性）」に求める考え方を「合理論」と言います。これに対して、イギリスのロックは、「生得観念」に疑問をもちました。真なる観念を私たちの知性は生まれつきもっているのでしょうか。そうではないとロックは言います。生まれたての赤ちゃんがそのような観念をもっているとは到底考えられないからです。知識の源泉は私のうちではなく、むしろ私の外にある。私たちの知性がもつ観念は、「経験」を通して外から私たちにもたらされたのです。このように、知識の源泉を「経験」に求める考え方を「経験論」と言います。

ロックは、私たちの心はもともと「白紙（タブラ・ラサ）」の状態であり、そこに「経験」を通して観念が書き込まれていくと考えます。そして、彼は観念がもたらされる道（窓）として「感覚」と「反省」の２つを挙げています。このうち特に根源的なのは「感覚」です。「知性にある観念は、感覚と同時」なのです。まず、１つの感覚によって、知性に「色」「音」「味」などの観念が生じ、２つ以上の感覚によって、「延長」「形」「運動」などの観念が生じます。そして、反省によって「知覚」「思考」「意志」などの観念が、さらに、感覚と反省によって「快と苦」「力」「存在」などの観念が生じるとされます。これらの観念は「単純観念」と呼ばれます（『人間知性論』）。

さらに、ロックは、感覚による単純観念のうち、「延長」「形」「運動」および「固性」は物体に本源的に備わっている性質だとして、これを「一次性質」の観念と呼び、他方、「色」「音」「味」などは「一次性質」

によって産み出された可感的な性質だとして、これを「二次性質」の観念と呼んでいます。そして、「一次性質」の観念は物体の類似物であり、その「原型」は物体の中に実在していますが、「二次性質」の観念は感覚器官を通して私たちのうちに産み出されたものであり、物体とは少しも類似していないと言っています。

デカルトとロックの比較

ここで、デカルトとロックの「物体」の観念について比較してみましょう。まず２人とも、それがいかなるものか具体的にわからないにしても、私の外に「物体」が存在していることを認めています。次に、個別の感覚器官を通して得られた「色」「音」「味」などの感覚の観念（デカルトはこれを「外来の観念」、ロックはこれを「二次性質」の観念と呼んでいます）は、私のうちに産み出されたもので、２人とも、これらの観念が「物体」そのものの「色」「音」「味」と類似しているかはまったくわからないと言っています。ここまでは、２人の見解は一致していると考えていいでしょう。違いはデカルトの「物体」の観念の「明晰判明なもの」とロックの「一次性質」の観念にあります。

今、「延長」「形」「運動」の観念に注目してみましょう。これらはロックの「一次性質」の観念であり、デカルトにおいては、「明晰判明なもの」のうち「実体」を除いた「様態」の観念に当たります。両者が異なるのは、ロックの「一次性質」の観念が「感覚」に由来する観念であり、デカルトの「様態」の観念は精神にもともと備わった「生得観念」であるということですが、しかし、この点を除けば、ともに私の外にある「物体」にその「原型」をもつという点でほぼ共通していると考えられるのです。やや大胆な言い方かもしれませんが、私は、「物体」の観念については、デカルトとロックは、「生得観念」を認めるかどうかを除けば、その他はほぼ同じであると考えています。

バークリとヒュームの観念論

次に、イギリスのバークリの観念論を見てみましょう。彼の思想は、「存在するとは、知覚されることである」という言葉で象徴されます。ロックは、「色」「音」「味」などの「二次性質」の観念は感覚器官を通して私たちのうちに産み出されたもので、私たちの外にある「物体」とは類似していないが、「延長」「形」「運動」および「固性」などの「一次性質」の観念は物体の類似物であり、その「原型」は物体の中に実在していると考えていました。ところが、バークリは、「二次性質」だけでなく「一次性質」の観念も私たちのうちにあるだけであり、そもそも私たちの外に「物体」なるものは存在しないと主張するのです。

バークリの見解は次のようなものです。物体は私の外に存在しているのではなく、私が知覚するその限りで、私のうちに観念として存在しているのです。では、私がその物体を知覚しなくなったら、その物体は存在しなくなるのでしょうか。そうではありません。私がその物体を知覚しなくなったとしても、私以外の誰か別の人間がその物体を知覚しているのなら、その物体は存在しているのです。そして、もし誰もその物体を知覚しなくなったとしても、「神」だけはそれを知覚しているはずだというのです。つまり、私たちが「物体」と考えているものは、実は、神の心の中の「観念」なのであり、「私たちは、神の中で生き、動き、存在する」のです（『ハイラスとフィロナスの３つの対話』）。「存在するのは観念（知覚）だけだ」とするバークリの観念論は、究極の観念論と言えるでしょうが、「神」の存在を実感できない者にとっては、「物体」が存在しないと考えることは、どうも居心地の悪さを感じてしまいます。

バークリのような考え方を「懐疑主義」と言いますが、この懐疑主義をさらに徹底したのが、ヒュームだと言われています。彼は『人性論』の中で、次のように言っています。「近頃の哲学者たちは、個々の性質の観念とは別個な外的実体の観念はわれわれにはない、という原則に承服し始めている。このことは、心に関する似かよった原則、つまり、個々の知覚とは別個な心なるものについてはわれわれは何も知らない、という原則への道を開くに違いない」。バークリは物体の存在そのものを否定しましたが、ヒュームは、この文章の前半で、やや穏やかに、存在するのは個々の性質の観念（知覚）だけであって、その基体となるような「物体」という「実体」は存在しないと言っており、後半では、個々の知覚を離れて「心（精神）」という「実体」も存在しない、つまり、心は「知覚の束」だと言っているのです。デカルトは、「精神」と「物体」を真に存在する「実体」と位置づけましたが、ヒュームは存在するのは知覚（観念）だけだとし、その両方を否定するのです。究極の懐疑主義と言うべきでしょう。

ヒュームのカントへの影響

このヒュームによって衝撃を受け、「独断のまどろみから、揺り起こされた」のがドイツのカントでした。大陸合理論の思想的風土の中で思索してきたカントにとっては、「物体」も「心（精神）」も「実体」としては存在しえないという主張は、大きな驚きだったと思います。ただ、ヒュームは、「実体」としての物体と心（精神）を否定したのであって、物体のもつ諸性質、心に見出される諸知覚の存在を否定したわけではありません。むしろ、ヒュームは「知覚」について、今までの哲学者にない発想を提示したように思われます。それが「印象」と「観念」の区別です。その違いは、それらが心に働きかけるときの勢いと生気の程度の違いにあります。極めて勢いよく心に入り込む知覚が「印象」であり、これには感覚、情念、感動などが含まれます。これに対して、「観念」はそのような勢いと生気をもたない知覚で、これには思考や推論の心像などが含まれます。そして、「観念」は必ずそれに先行する「印象」に起因していると言われるのです。

伝統的な観念論では、理性の対象も感覚の対象も意志の対象もすべて「観念」であり、それらの性質の違いにはあまり注意が向けられなかったように思われます。すでに見たように、デカルトは、明晰判明なのは「生得観念」であり、「外来の観念」である感覚は不分明で不明瞭だと言っています。このデカルトの見解に、読者の皆さんは違和感を覚えませんか。むしろ、現代の私たちは感覚の方が鮮明であり、観念（思考）の方が不明瞭だと感じるのではないでしょうか。ですから、ヒュームの「印象」と「観念」の区別に接したとき、私はすごく新鮮な感じがしました。哲学が身近に感じられた瞬間でした。私が抱いた感覚を、おそらくカントも感じたのではないかと思います。というのは、カント哲学における「直観」と「概念」の区別は、ヒュームの「印象」と「観念」の区別を継承したものと思えるからです。

カントの認識論（観念論）

カントの認識論を非常に単純化して言えば、「感性によって対象が与えられ、悟性によって対象が思惟される」となるでしょう。私たちが何かを認識するためには、その何かすなわち対象が私たちの感性を触発することによって、まずは「直観」が生じなければなりません。「直観」は「感覚」や「現象」とも言われますが、これは「何か」そのものすなわち対象そのもの（カントはこれを「物自体」と呼びます）ではありません。この点は、観念は感覚に由来するというイギリス経験論の考え方と同じです。しかし、カントはこの段階で認識が成立するとは考えていません。「直観」は多様ではありますが、まだ統一されていません。これを結合・統一するのが悟性のはたらきなのです。感性によって与えられた「直観」は、悟性（知性）によって思惟される、具体的には、悟性に備わった「純粋悟性概念（カテゴリー）」に規定されることによって「概念」とならねばならないのです。この「純粋悟性概念（カテゴリー）」すなわち思考の規則が悟性に「ア・プリオリ（先天的）」に備わっている（時間と空間という直観形式も感性にア・プリオリに備わっています）と考える点で、カントは大陸合理論を継承しているのです。したがって、カントの認識論は、大陸合理論とイギリス経験論を綜合したと言われます。

カントにおいては、「直観なき概念は空虚であり、概念なき直観は盲目である」（『純粋理性批判』）と言われるように、認識は感性と悟性の共同作業によって成立します。しかし、感性と悟性の共同作業によって認識できるのは、感性的「直観」として私たちに与えられるものすなわち「現象」に限られます。つまり、私たちは「物自体」を認識することはできないのです。この点は、つまり対象そのものは認識できないと考える点では、カントはデカルトやロックと同じです。しかし、彼らは私の外に「物体」そのものが存在することを疑いませんでしたが、カントは存在するのは「現象」のみであって、「物自体」は存在しないと言い切るのです。では、カントはバークリやヒュームなどの懐疑主義に賛同するのでしょうか。この辺りはもう少し検討が必要です。

実は、カントは思惟する能力として、「悟性」と「理性」を区別していました。これらはもともと同じなのですが、悟性の思惟する対象は感性によってもたらされた「現象」すなわち「経験」に限られます。この「経験的世界」（「感性界」や「現象界」とも言われます）に存在するすべての物体、概念、自然法則が悟性の対象になります。ただ、悟性にはもともと形而上学的欲求というものがあり、常に「経験的世界」を超えて思惟しようとする傾向があります。このような悟性が理性であり、理性の対象が「物自体」なのです。ですから、「物自体」は「経験的世界」においては存在しません。この点では、カントはデカルトやロックとは明らかに違います。しかし、カントは「物自体」がまったく存在しないと言っているわけではなく、それは「超感覚的世界」（「叡智界」や「悟性界」とも言われます）において存在していると言うのです。この「超感覚的世界」には、「物自体」のほか「霊魂」「自由」「神」などの「理念（イデー）」が属するとされます。カントの「物自体」や「理念（イデー）」は存在すると言えるのか、それとも「想像物」にすぎないのか、「超感覚的世界」とはどのような世界なのか、今まで多くの哲学者によって様々に解釈されてきました。私自身の考えはこの後述べたいと思います。

「観念」と「物体」（もの）

最後に、それぞれの哲学者の「観念論」において、「物体」の存在がどのように考えられていたかを整理しておきましょう。わかりやすくするために、ある対象が私の心（精神）のうちにあるとき、これを「主観的に存在する」、また私の心（精神）の外にあるとき、これを「客観的に存在する」と言うことにしましょう。だとすると、物体そのものは客観的に存在し、物体の観念は主観的に存在するということになります。まず、デカルトは、物体そのものは実体として客観的に存在しますが、それがいかなるものかはわからないと考えていました。私たちが物体について知りうるのは「色」「臭い」「味」などの感覚の観念（これらは「外来の観念」と呼ばれます）と、「延長」「形」「運動」などの「生得観念」です。これらの主観的な観念は、客観的に存在する物体そのものに「原型」をもっています。ただし、「生得観念」は「原型」にかなり類似しているでしょうが、「外来の観念」である感覚は類似しているかどうかはわかりません。

ロックもデカルトと同じく、物体そのものが客観的に存在すると考えていました。彼は、観念は感覚と反省によって心にもたらされると考えており、物体の観念を「延長」「形」「運動」などの一次性質と「色」「臭い」「味」などの二次性質に区別しました。そして、デカルトと同様に一次性質は物体そのものとかなり類似しているが、二次性質は類似していないと言っています。デカルトとロックの違いは、「生得観念」を認めるか認めないかという点にあります。

バークリは、物体そのものが客観的に存在することを一切認めません。「存在するとは、知覚されることである」とは、存在するのは主観的な観念（知覚）だけだという意味です。バークリの観念論はかなり過激ですが、これはヒュームに受け継がれていきます。「近頃の哲学者たちは、個々の性質の観念とは別個な外的実体の観念はわれわれにはない、という原則に承服し始めている」という言葉からわかるように、ヒュームは存在するのは主観的な個々の性質の観念（知覚）だけであり、これとは別に「実体」が客観的に存在するわけではないと言っているのです。ヒュームの言い方はバークリのような過激さは感じられませんが、デカルトやロックが、それがいかなるものかはわからないにせよ、物体が実体として客観的に存在していることを認めていたのに対して、それを否定したことには変わりありません。このことがカントを「独断のまどろみから、揺り起こす」ことになったのです。

カントの観念論の要点は、物体は「現象」と「物自体」の両側面をもつというものです。この構造は、デカルトやロックの観念論と同じように見えますが、「物体そのもの（「物自体」）が客観的に存在し、物体の観念（「現象」）は主観的に存在する」と言っているわけではありません。むしろその逆です。カントによれば、感性的「直観」である「現象」こそが「経験的世界」において客観的に存在しているのであり、「物自体」は「経験的世界」には存在しないのです。この間の事情は次のように考えるとわかりやすいかもしれません。バークリやヒュームは、存在するのは主観的な観念（知覚）だけであり、客観的な物体（実体）など存在しないと言いましたが、カントは、主観的な観念（知覚）である「現象」こそが「物体」として客観的に存在するのだと言っているのです。そして、「実体」は悟性の「概念」として「経験的世界」に存在するとしましたが、「物自体」は「経験的世界」には存在せず、「超感覚的世界」に存在するとしたのです。

「物自体」とはいかなる存在なのかについてはとりあえず保留にしておくこととして、私はカントの「現象」を「もの」（あるいは「物体（物質）」）と呼びたいと思います。私の目の前にあるリンゴは「もの」として客観的に存在しているのです。私はこのリンゴが主観的な「観念」だとか、真実在としてのリンゴの「イデア」の「影」であるとは到底思えないのです。「観念」や「影」は私たちの食欲を充たしてはくれないでしょう。リンゴは眺めるものではなく、食べるものなのです。リンゴは客観的に存在する「もの」（「物体（物質）」）である、このことを出発点として、本章を進めていきたいと思います。

2　存在する「もの」

「物体（物質）」と「イデア」

普通、私たちが「存在するもの」としてまず思い浮かべるのは、「もの」すなわち「物体（物質）」でしょう。私たちは「もの」（物体）の存在を直接知覚することができるからです。「もの」は単独で存在している場合もありますが、複数の「もの」どうしが関係しあって「こと」すなわち「出来事」を構成する場合もあります。たとえば、自動車と自動車が交差点で衝突すれば、その交差点で交通事故という「こと」が起きたことになります。警察官が現場検証で調べるのは、「もの」としての２台の破損した自動車やタイヤのブレーキ痕などですが、それを通して警察官は交通事故という「こと」を調べているのです。「もの」が存在するように「こと」も存在します。これが私の結論です。ただ、「もの」と「こと」は同じ様に存在しているわけではなく、その存在の仕方は異なっていますが、ともに「存在している」と言えるのです。ただし、「こと」は「もの」を基本として成立するものですから、まずは、存在する「もの」を検討する必要があるでしょう。

存在する「もの」にはどのようなものがあるかについて、次の３つの「球体」を考えてみましょう。１「数学における球」、２「目の前にあるテニスボール」、３「地球」。

まず、２の「目の前にあるテニスボール」と３の「地球」については、「実在する」と言ってよいでしょう。ここで「実在する」とは、「物質（物体）として存在する」という意味です。これに対して、１の「数学における球」は、「物質」としては存在していませんが、ある意味「物質」以上に存在していると言えるでしょう。なぜなら、「物質」には、その存在に始まりと終わりがありますが、「数学における球」には、その存在に始まりも終わりもないからです。つまり、永遠に存在し続けるのです。したがって、存在する「もの」は大きく２種類に分けて考えることができると思われます。「物質（物体）として存在するもの」と「物質（物体）ではないが、確実に存在するもの」です。

まずは、「物質（物体）」について考えてみましょう。私たちは、テニスボールや地球を見たり触れたりすることができます。つまり、私たちはそれらを「知覚」することができるのです。私たちがそれらを知覚できるのは、それらが「空間内において一定の位置を占めている」からです。デカルトは「物体（物質）」のこのような特徴（属性）を「延長」と呼びました。私たちは、デカルトにならって、「物体は空間内において「延長」をもち、一定の位置を占める」と定義することができます。

ただし、すべての「物体（物質）」が知覚できるわけではありません。私たちは分子や原子などの「素粒子」を直接知覚することはできませんが、「空間内に延長をもち、一定の位置を占める物体（物質）」だと考えているのです。

ここで「力」について一言触れておきましょう。「力」は「延長」をもたないように思われますが、物質の一種か物質に付随したもの（量）と考えてよいでしょう。なぜなら、古典力学では、力は「物体の運動量の時間的変化の割合」であるとされ、現代の素粒子物理学では、力は「素粒子間における力の粒子の交換」とされているからです。また、すべての物質（物体）の間には力（万有引力）がはたらいていることがわかっていますから、力は物質と密接に関係していると言えるのです。

これに対して、「数学における球」は「物質」ではなく、「考えられたもの」すなわち「観念」です。「観念」は物質ではありませんから空間内において「延長」をもちません。しかし、「数学における球」はたんなる「想像物」ではありません。「想像物」例えば「ゴジラ」は「ある日本人がゴリラとクジラの要素を取り入れて作り出した空想上の怪獣であり、これを主役として多くの映画が製作された」と説明することができますが、架空のものですから、それに対応するものは存在しないし、映画を見たことのある日本人ならなじみ深いでしょうが、映画を見たことのない外国人には何のことか理解できないでしょう。

しかし、「数学における球」は、「空間内のある１点からの距離が一定以内である点の集合」のことですが、この「観念」はある人が作り出したものではないし、ある程度の知能をもった人なら、日本人や外国人に関係なく誰もが同じものを思い浮かべることができます。また、この「観念」には、その存在に始まりはなく、おそらく終わりもないでしょう。たとえ、それを認識する人間が誰もいなくなったとしても存在し続けるでしょう。プラトンは、このように「永遠性と普遍性をもった観念」を「イデア」と呼びました。私もそれにならって、このような「観念」を「イデア」と呼びたいと思います。ここではとりあえず、「イデア」とは「幾何学における図形や自然数」のことです。

「イデア」の存在

今までの考察から、存在する「もの」には「物体（物質）」と「イデア」と呼ばれる「観念」があることがわかりました。「物体」は原則として「空間内において延長をもち、一定の位置を占める」ものであり、「イデア」はたんなる想像物ではなく、「永遠性と普遍性をもった観念」でした。ところで、すべてのものは考えることができますから、すべてのものには「観念」があることになります。そしてとりあえず、「観念」は私の「頭の中」にある（ここでは、「頭の中」の空間と「頭の外」の空間の関係については立ち入りません）としておきましょう。そこで、「数学における球」「ゴジラ」「目の前にあるテニスボール」「地球」「素粒子」について、「観念」とその対象の関係について個々に見ていきましょう。

「イデア」である「数学における球」はその対象自体が「観念」であり、観念とその対象は分離していません。「空間内のある１点からの距離が一定以内である点の集合」という「球」の「観念」（定義）がそのまま対象なのです。また、「現実にある球体」例えば「テニスボール」は「物質」ですから生成消滅し不完全ですが、「数学における球」は「イデア」ですから永遠不滅であり完全です。そして、それを認識する人間が誰もいなくなったとしても存在し続けるでしょうから、「イデア」はたんに私の「頭の中」にあるだけではなく、私の「頭の外」にも存在していると言えるでしょう。

これに対して、「ゴジラ」はたんなる想像物ですから、それを知っている人の「頭の中」には存在すると言えるかもしれませんが、知らなければどこにも存在しません。もし、「映画の中に存在する」と言うのなら、それは「観念」ではなく映像という「物質（物体）」を考えているのです。

「物質（物体）」の存在

次に、「物質（物体）」について考えてみましょう。「目の前にあるテニスボール」は、色は黄色で、表面は繊維で覆われ、ある程度の硬さがある硬式テニスのボールです。目を閉じて「テニスボール」を思い浮かべてみたとき、「頭の中」に浮かび上がる「球体」らしきものが、テニスボールの「観念」です。これは先ほど見た「テニスボール」の「記憶」でしょう。その観念は、最初は漠然としていますが、色を思い浮かべようとすれば黄色のようなものが、表面を思い浮かべようとすれば繊維のようなものが浮かび上がってくるでしょう。もし、私が白くて柔らかそうな軟式テニスのボールを思い浮かべていたとすれば、目を開ければ、それが間違いであったことに気づくでしょう。当然のことですが、「物質」の「観念」の対象はその「物質」そのものです。別の言い方をすれば、「物質」とは、「その観念の対象が空間内に延長をもち、一定の位置を占めるもの」です。さらに、「目の前にあるテニスボール」において特徴的なことは、まず第１に、私はテニスボールのほぼ全体を知覚することができるということであり、第２に、テニスボールの観念と物質（物体）とは細部にわたって対応しているということです。

次に、「地球」について考えてみましょう。「地球」について私が直接知覚できるのは、地面や木に覆われた山であり海であり、しかもそのほんの一部でしかありません。また、「物質（物体）」としての「地球」

は私の足元に存在していますが、「地球」の「観念」は私の「頭の中」にあり、しかも、たいていは地面や海ではなく、「青く輝く小さな球体」をしているでしょう。そのような観念は、私が直接知覚したものではなく（私は宇宙船から地球を見たことはありません）、人から教えられたり本や映像で見たものの「記憶」だったり、私がそのようなものとして「想像」したものでしょう。私は「地球」の全体を直接知覚したことがないにもかかわらず、「地球」という「物質（物体）」が存在していることを疑うことはありません。

さらに、「素粒子」については、私はその一部でさえも直接知覚したことはありません。ただ、漠然と特殊な装置（顕微鏡）を使えば、間接的に知覚できるだろうと思っているだけです。直接知覚できないという点では、「素粒子」も「ゴジラ」も違いはありません。あるものがたんなる想像物ではなく、実在する「物質」であることを、残念ながら哲学が判別することは難しいでしょう。それは最終的に科学の検証を待つしかないのです。

このように考えてくると、私たちが「物質（物体）」と呼ぶものの中で、その全体を直接知覚できるものは、意外と少ないことがわかるでしょう。「物質（物体）」についての知識の多くは、私が直接見たり触れたりした知覚に基づくのではなく、人から教えられたり自ら学習した内容すなわち「観念」に基づくのです。しかし、このように、あいまいな点は残るものの、「物質（物体）」は「空間内に延長をもち、一定の位置を占める」ことによって存在すると考えてよいでしょう。

「価値」（物質的なもの）

再び、「イデア」について考えてみましょう。私が「イデア」と呼ぶのは「幾何学の図形や自然数」であることはすでに述べました。しかし、多くの人は「イデア」というと「善のイデア」や「美のイデア」

などを思い浮かべるのではないでしょうか。では、「幾何学の図形や自然数」と「善」「美」などとはどこが違うのでしょうか。「幾何学の図形や自然数」の特徴は「形象的明証性」をもつということです。これらはこの上なく明晰判明な観念であり、「球」という言葉を聞けば、誰もが同じもの（「空間内のある1点からの距離が一定以内である点の集合」）を思い浮かべるはずです。しかし、「善」「美」という言葉を聞いて思い浮かべるものは、人によって様々でしょう。「善」「美」はそれを定義すること自体が難しいのです。

「球」は「考えられたもの」すなわち「観念」ですが、「善」や「美」は「価値」です。「価値」は「テニスボール」や「地球」などの「物質」そのものではありませんが、もともと私たちの欲求を充たし、私たちに「快」あるいは「心地よさ」を呼び起こすものであり、意欲や感情（情動）と深く結びついています。したがって、「価値」は私たちの「身体」つまり「物質」と関係しているのです。また、「イデア」である「球」は永遠不滅ですが、たとえば、「絵画の美」はその絵画が破壊されれば消滅してしまうでしょう。「絵画は消滅しても、美そのものは不滅だ」と言ったとしても、誰もその「美」なるものを示すことはできないでしょう。しかし、「美」や「善」は「ゴジラ」のようなたんなる想像物ではありませんから、確かに存在していることは間違いありません。ただし、「球」のような「イデア」すなわち「形象的明証性」をもった「観念」として存在しているのではなく、「快」の感情である「価値」として、つまり「物質的」に存在しているのです。

私たちは美しいものを見ると、「心地よさ」を感じます。この「心地よさ」は、美味しいものを食べたときに感じる「心地よさ」と基本的に変わりません。また、「善」も私たちにとって「好ましい」「よき」ものです。このように、「美」も「善」も「快」の感情と結びついていますから、「数学における球」のような純粋な「観念」ではありません。それらは「物質」そのものではないにしろ「物質的なもの」すなわち「価値」なのです。このようなものには、ほかに「正義」「幸福」「愛」「友情」「信頼」などがありますが、これらは私たちの感情（情動）や意欲と結びついているだけでなく、「道徳（倫理）」とも深くかかわっています。

私は本節のはじめに、存在するものは大きく「物質（物体）」と純粋な観念としての「イデア」の2種類に分けることができると言いましたが、これを、「物質（物体）」と「物質的なもの」（「価値」）と「イデア」の3種類と言い換えてもいいでしょう。しかし、このように、「美」や「善」などの「価値」は「物質的なもの」であり純粋な観念である「イデア」ではないとすると、読者の中には、「永遠性と普遍性をもった観念」である「イデア」には「幾何学の図形や自然数」のようなものしかないのかという疑問（むしろ落胆と言うべきでしょうか）をもつ人もいるでしょう。「イデア」には本当にこのように数学が扱う形象的·数量的な「観念」以外にはないのでしょうか。しかし、最初に断ったように、今まで扱ってきたのは、存在する「もの」であって、存在する「こと」ではないことを思い出してください。考察の対象を「もの」から「こと」に転じると、新たな視界が開けてくるのです。

3 「もの」と「こと」

「こと」（関係）は存在する

「こと」は「もの」と「もの」との「関係」です。物質Aと物質Bとの距離が1メートルだとすれば、そこには「AとBとは1メートル離れている」という「関係」が存在していることになります。Aと

Ｂは「物質」ですが、「関係」は「物質」ではありませんし「物質的なもの」（価値）でもありません。「考えられたもの」すなわち「観念」です。しかも、「ゴジラ」は想像物にすぎませんが、「ＡとＢとは１メートル離れている」という「関係」は、それを見ている人にとっては、たんなる想像物ではなく、紛れもない「事実」すなわち「存在」なのです。

「ＡとＢとは１メートル離れている」という文は「ＡとＢとの距離は１メートルである」と言い換えることができますから、ここでは「距離」というものが言及されていることになります。では「距離」とは何でしょうか。私は「離れている」という「こと」（関係）を「もの」として表現したものが「距離」ではないかと考えています。つまり、「距離」とは「こと」を「もの」化したものなのです。しかも、「距離」は「物質」でも「物質的なもの」（価値）でもない「永遠性と普遍性をもった観念」と言ってよいでしょう。つまり、「イデア」です。ただし、「距離」が「球」と違う点は、「球」はこの上ない「形象的明証性」をもちますが、「距離」はそのような明証性をもたないということです。しかし、「球」が存在していると言えるなら、「距離」も同じ程度に存在していると言えるのではないでしょうか。

より具体的に、「太陽と地球の距離は１億4,960万キロメートルである」という文について考えてみましょう。「太陽」も「地球」も「物質」として存在しています。しかし「太陽と地球の間の１億4,960万キロメートルという距離」は「物質」としては存在していません。しかし、「物質」としては存在していませんが、「太陽と地球の間の距離は存在しない」と言うことは明らかに間違っています。これでは太陽と地球は「接している」ことになってしまうからです。つまり、「距離」は「物質」ではなく「観念」ですが、明らかに「存在している」のです。しかも、太陽と地球が消滅したとしても、１億4,960万キロメートルという

「距離」そのものは不滅でしょう。したがって、「距離」は「球」のような「形象的明証性」はもちませんが、「永遠性と普遍性をもった観念」すなわち「イデア」なのです。

具象的なイデアと抽象的なイデア

「形象的明証性」をもった観念を「具象的な」観念と言うとすれば、そのような明証性をもたない観念は「抽象的な」観念と言ってよいでしょう。「距離」という観念は「球」と比べて「抽象的」ではありますが、「球」と同じく「イデア」に属するのです。このように「抽象的な」観念も「イデア」であることに思い至ると、賢明な読者なら、状況は一変することに気がつくと思います。私たちはたいてい「美」や「善」を「イデア」と考えることが多いのですが、実際にはそれらは「快の感情」と結びついていたので「価値」(物質的なもの) でした。だとすれば、「美」や「善」に類似したもので、「価値」すなわち「快の感情」と結びつかない「抽象的な」観念があるとすれば、それは「イデア」と言ってよいのではないでしょうか。このような「抽象的な」観念ならすぐに思いつくでしょう。「自由」「本質」「存在」‥‥、これらは抽象的ではありますが、「永遠性と普遍性をもった観念」すなわち「イデア」と呼んでいいのではないでしょうか。

確かに、これらの観念は、「球」のような「もの」としては考えにくいでしょう。しかし、「距離」を「こと」の「もの」化としての「イデア」であると認めるなら、「自由」「本質」「存在」などの抽象的な観念も同様に「こと」の「もの」化としての「イデア」であると考えていいのではないでしょうか。もしそうでないなら、つまり、これらの観念がたんなる「想像物」であるとしたら、今まで哲学者は空しい議論を重ねてきたことになってしまうでしょう。なぜなら、これらの観念は紛れもなく哲学の中心的なテーマだからです。さらに、関係性そのものもまた「イデア」と同様に存在すると考えていいでしょう。「物質」と「物質」との関係には「自然法則」が成り立ちますし、「イデア」どうしにおいても、数学の法則や論理学の法則が成り立ちます。これらの「法則」もまた「永遠性と普遍性」をもっていると考えられるからです。

ラッセルの「普遍」

この「関係」とプラトンの「イデア」を結びつけて考えた哲学者に、20世紀イギリスのラッセルがいます。次に、ラッセルの「イデア」についての見解（『哲学入門』第９章）を見ていきたいと思います。論理学者でもあるラッセルは、１つの言葉が数々の個物に当てはまるのは、それらが本性または本質を共有するからだと言います。この個物が共有する「本質」がプラトンの「イデア」（「形相（エイドス）」ともいいます）に当たります。そして、「イデア」はたとえ心によって把握されるとしても、心の中にあるわけではないと彼は言います。たとえば、個々の「白い物」や「正しい行い」は感覚される世界の中に存在しますが、その本質である「白さ」や「正義」すなわち「イデア」は感覚の世界よりもはるかに実在的な「超感覚的世界」に存在するのです。また、感覚されるものは変化流転しますが、「イデア」は永遠に不滅です。このように「イデア」を定義した後、ラッセルは独自の「イデア」論を展開します。

まず彼は、「イデア」を「普遍」と言い換えます。そして、言葉（語）について、固有名は「個物」の代わりをしますが、それ以外の名詞、形容詞、前置詞、動詞は「普遍」の代わりをすると言います。「普遍」のうち形容詞と一般名は「性質」を表現しますが、前置詞や動詞は２つ以上のものの互いに対する「関係」を表現します。そして、今まで哲学者たちは「性質」としての「普遍」しか見ておらず、「関係」としての「普遍」に気づかなかったと言います。確かに､「白さ」も「正義」も「関係」というよりは「性質」と言った方が自然でしょう。ただし、ラッセルは「性質」としての「普遍」よりも「関係」としての「普遍」の方がより確実に存在すると言います。なぜでしょうか。

ラッセルは､「エディンバラはロンドンの北にある」という命題を例に挙げます。ここには 2 つの場所の間の或る「関係」があり、この関係「の北に」は私たちが知るのとは独立に成立しています。つまり「事実」です。この「事実」の中には心的なものは何も前提されていません。ではこの関係「の北に」はどこにあるのでしょうか。エディンバラとロンドンの中間の地点にあるのでしょうか。ラッセルはこの関係「の北に」は、空間の中にも時間の中にもないし、物的でも心的でもないと言っています。しかし、それでも何らかのものなのです。

最後に、ラッセルは 2 つの「存在（有)」を区別して次のように言います。あるものが時間の中にあるとき、それは「存在する existing」と言うのがよいでしょう。したがって、思考や感情、心、物的対象は「存在します」。しかし、「普遍」は時間性を欠いているので､「存在する existing」ではなく､「存立する subsist」とか「有る having being」と言うべきでしょう。「普遍」の世界すなわち「有」の世界は、変化はありえず、厳密、正確であり、数学者や論理学者、哲学者、実人生よりも完全さを愛する人にとって大きな悦びです。これに対して､「存在」の世界は流動的で、あいまいで、くっきりとした境界がなく､明確に計画されても配列されてもいません｡しかし､「存在」の世界は、思考や感情、感覚のデータ、物的対象、善きものや害をなすもの、人生と世界の価値にまつわるすべてのものを含んでいるのです。なお、ラッセルはこの 2 つの世界のどちらを好むかはその人の気質によるとし、どちらも本物であり、分け隔てなく平等に注目すべきだと言っています。

２つの世界

完全に一致するわけではありませんが、とりあえず、ラッセルの「存在」の世界を私は「感覚的世界」と呼び、ラッセルの「普遍」すなわち「有」の世界を私は「超感覚的世界」と呼びたいと思います。この２つの世界は、本章のはじめに引用したプラトンの「洞窟の比喩」における「現実（イデアの「影」）の世界」と「イデア（真実在）の世界」とはかなり違っています。まず、私は「超感覚的世界」が「本物」の世界で、「感覚的世界」がその「影」（偽物）の世界であると言っているわけではありません。「超感覚的世界」に属するものが価値が高く、「感覚的世界」に属するものが価値が低いと言っているわけではないのです。この点、この２つの世界はどちらも「本物」であり平等であると言ったラッセルに賛同します。

私が「感覚的世界」に属するものとして考えているのは、「物体（物質）」と「物質的なもの」すなわち「価値」です。「美」や「善」などの「価値」は「快の感情」つまり身体と結びついているので、ここに分類するのです。一方、私が「超感覚的世界」に属するものとして考えているのは、「数学における球」や「自由」「本質」「存在」などの「永遠性と普遍性をもった観念」（これを私は「イデア」と呼んでいます）や「関係」「法則」などで、これらは感覚に与えられないので「超感覚的」と呼ぶのです。この「感覚的世界」と「超感覚的世界」は、私たちが生活している「現実の世界」あるいは「経験の世界」の２つの側面と考えることができます。私たちは「感覚的世界」（「物体」や「価値」の世界）に生きていると同時に「超感覚的世界」（「イデア」「関係」「法則」の世界）においても生きているのです。なお、私は頭の中で「考えられたもの」としての「観念」あるいは「想像物」については「存在（有）」と考えていません。したがって、ラッセルが「思考」と呼ぶものについてははずしてあります。

私は「2　存在する「もの」」の節で交通事故の例を挙げました。「もの」としての２台の破損した自動車やタイヤのブレーキ痕、さらには関係者のケガの状況などは「感覚的世界」に属しますが、「こと」である加害者と被害者の責任・補償問題や法律違反などの問題は「超感覚的世界」に属するのです。私たちはこの「感覚的世界」の「物質」と「超感覚的世界」における「関係」をあわせて「交通事故」と呼んでいるのです。このような分類は、実は、カントの「感覚的世界」と「超感覚的世界」と比較するためのものです。次節において、カントと私の両世界についての見解の違いについて説明したいと思います。

4　感覚的世界と超感覚的世界

カントの「現象界」と「叡智界」

「存在するもの」を「物質」と「価値（物質的なもの）」（「美」「善」）と「イデア」（「球」「距離」「自由」「本質」「法則」）の３種類に分類するとしても、なかにはどれに分類したらよいのか決めかねるものがあります。その多くは、例えば、「正義」のようにそれを「価値」と考えるか「イデア」と考えるか見解が分かれるものでしょう（実際に私自身も迷っています。なお、ラッセルは「正義」を「イデア（普遍）」と考えています）。しかし、「神（これは、おもにキリスト教の神を指す場合が多いですが、日本の神仏を考えてもよいでしょう）」や「霊魂」などのように、それらが「物質（物体）」なのか「イデア」なのか、あるいはたんなる「想像物」なのかも含めて意見が分かれるものもあるのです。

この問題にかなり特殊な答えを与えたのがカントでした。カントは

「神」「霊魂」「自由」を「理念（イデー）」と呼びます。彼は世界を「現象界」と「叡智界」に分けて考えますが、「物質」「価値」「自然法則」「数学の対象」などはすべて「現象界」に属し、これらは確実に存在するとしました。しかし「現象界」を超越した「叡智界」に属する「物自体」や「理念（イデー）」の存在を証明することは不可能であるとしました。

では「物自体」や「理念」はたんなる「想像物」かというとそうではありません。確かに、それらが存在するかしないかという「理論的」認識の問題なら、答えは否定的にならざるを得ないでしょうが、これが「実践」つまり「道徳」の問題なら、事情は変わってきます。「神」や「自由」が実際に存在するかどうかはわかりませんが、私たちは「事実」としてそれらが「存在するものとして」行動しているのではないか。つまり、「理念」の存在は、私たちに「要請」されているとカントは言います。彼は「理念」の存在は「実践的」認識において証明できると考えたのです。

「実践的」認識については別の箇所（第4章　道徳と幸福）で扱うとして、ここでは、カントの考える「現象界」と「叡智界」という2つの世界に注目してみましょう。私はこれを慣例により「感覚的世界」と「超感覚的世界」と言い換えますが、前節で私が述べた「感覚的世界」（ラッセルの「存在」の世界）と「超感覚的世界」（ラッセルの「普遍」すなわち「有」の世界）とは内容が異なるので注意してください。

カントにおいては、「現象界」＝「感覚的世界」に属するものは、「物質」「価値」「自然法則」「数学の対象」など私たちの経験にかかわるものすべてです。「叡智界」＝「超感覚的世界」に属するものは「物自体」と「理念」だけであることはすでに述べました。私が特に注目したいのは、カントが「数学の対象」や「自然法則」が「超感覚的世界」ではなく、「感覚的世界」に属するとしたことです。これは、プラトンがこれらを現実を超越した「イデア界」に属するとしたのとは対照的です。つまり、カントはプラトンの「イデア」が「超感覚的世界」ではなくて、「感覚的世界」に属することを認めたことになるのです。

「イデア」が「感覚的世界」に属するとは自己矛盾ではないか。「イデア」は「感覚的世界」を超越した「真実在」ではなかったのか。このような疑問は「感覚的世界」の内容を変更することによって解決されます。カントの認識論の要点は、認識は対象が感性によって与えられ、悟性によって思惟されることによって成立するというものです。つまり、認識は感性と悟性の共同作業によって成立すると考えるのです。したがって、カントの「現象界」＝「感覚的世界」は決して「感覚的」な世界ではありません。「現象界」＝「感覚的世界」は感性による「直観」と悟性による「概念」によって構成されているのです。しかもカントは「概念なき直観」も「直観なき概念」もともに認識ではないとして、あくまでも感性と悟性の共同作業にこだわっていました。したがって、カントの「現象界」＝「感覚的世界」はたんなる「感覚」的世界ではなく悟性の「概念」も含めた「経験的世界」のことなのです。

４つの「アンチノミー（二律背反）」

ところが、超感覚的なプラトンの「イデア」が「現象界」＝「感覚的世界」（むしろ「経験的世界」）に属することを認めたことによって、カントは新たな「アポリア（難問）」に直面することになりました。それが有名な「アンチノミー（二律背反）」です。カントは次の４つの「アンチノミー（二律背反）」を挙げています。

第１アンチノミー

正 命 題 ＝ 世界は時間的に始まりをもち、空間的にも限界をもつ。

反対命題 ＝ 世界は時間的にも空間的にも無限である。

第２アンチノミー

正　命　題＝世界にはそれ以上分割できない単純なものが存在する。

反対命題＝世界にはそのような単純なものは存在しない（無限に分割できる）。

第３アンチノミー

正　命　題＝世界の現象はすべて自然法則によって説明できるわけではない。自由は存在する。

反対命題＝世界における一切の現象は自然法則に従って生起し、自由は存在しない。

第４アンチノミー

正　命　題＝世界にはその原因として絶対に必然的な存在者が実在する。

反対命題＝世界にはそのような絶対に必然的な存在者は実在しない。

カントは「正命題」の立場を「独断論」、「反対命題」の立場を「経験論」と呼んでいますが、人はときに「正命題」が確実であると思っても、次の瞬間には「反対命題」の方が正しいという思いに囚われ、２つの見解の間を絶えず移動し続けるのです。この４つのアンチノミーについて、カントは次のように解釈しています。

まず彼は、第１・第２アンチノミーを「数学的」アンチノミー、第３・第４アンチノミーを「力学的」アンチノミーと呼び区別します。そして、「数学的」アンチノミーは「正命題」「反対命題」ともに現象の系列（時間・空間的な系列や分割の系列）を扱っているのであり、現象の外に出ることはできないから、この矛盾・対立は解消されることはない。したがって、両命題はともに偽であると言っています。一方、「力学的」アンチノミーでは、「正命題」は叡智界の事象について述べているのであり、「反対命題」は現象界の事象について述べているのであるから、「正命題」と「反対命題」とは対立することなく、両者はともに真でありうると結論づけています。ただし、叡智界の事象（「自由」や「神」）については、「理論的」には認識できず、「実践的」に認識するしかないことは既に述べたとおりです。

それに対して、私は、次のように解釈します。第1・第2アンチノミーの「正命題」は、時間的・空間的な限界を認め、それ以上分割できない単純なものを認めるのですから、これは「物質（物体）」にかかわる命題です。物質は有限であり、また素粒子から構成されていると考えられるからです。他方、「反対命題」は、時間的・空間的無限性や分割の無限性を認めるのですから、これは数学的「イデア」あるいはその関係にかかわる命題です。したがって、前者は物理的対象すなわち「物質（物体）」について、後者は数学的対象すなわち「イデア」について言表しているのですから、「正命題」と「反対命題」は矛盾しません。これに対して、第3・第4アンチノミーの「正命題」「反対命題」はともに、自然法則、自由、必然的絶対者（神）について言及したものですから、これらはすべて「物質（物体）」ではなく、「イデア」にかかわる命題です。特に、第3アンチノミーは、自然法則すなわち因果的必然性と自由とが両立できるかという深刻な対立を表明したものであり、両者を現象界と叡智界とに振り分けることによって解決を図ることは難しいでしょう。カントが想定する叡智界とは「存在するもののない世界」と言わなければならないからです。

カントは感性と悟性の共同作業にこだわっていた

私は、カントが超感覚的な「イデア」が「感覚的世界」（むしろ「経験的世界」）に属することを認めたことは高く評価します。こうして、「物質」「価値」だけでなく「自然法則」「数学の対象」などすべてが「感覚的世界」（むしろ「経験的世界」）に属することとなったのです。しかし、カントの「感覚的世界」は同時に「現象界」でもありました。「現象」とは何か或るものの「現れ」です。したがって、現象は現れる当のもの、すなわち「真実在」（カントはこれを「物自体」と呼びます）を前提としています。そこで、彼は「物自体」の居場所として「現象界」とは別に、「叡智界」すなわち「超感覚的世界」を改めて想定しなければならなかったのです。しかし、「イデア」を含めた存在するものすべてが「感覚的世界」に属することを認めた以上、この「超感覚的世界」は「存在するもののない世界」になってしまいました。「物自体」や「理念」は、カントが言うところの「ヌーメノン（可想的存在）」（これは「想像物」と同じと思われます）にすぎないのです。

私は先ほど、カントの認識論の要点は、認識は対象が感性によって与えられ、悟性によって思惟されることによって成立する、と述べました。したがって、カントは、「感覚的世界」と「超感覚的世界」とを区別する際、それぞれの世界が「感性」と「悟性」に対応していると考えることもできたはずです。その場合、「感覚的世界」は感性の「直観」すなわち「現象」によって構成され、「超感覚的世界」は悟性の「概念」によって構成されていると考えればいいわけです。実際、私は基本的にはそのように考えていますし、先に紹介したラッセルも、「存在」の世界（「感覚的世界」）には感覚のデータ、物的対象、価値などが属し、「普遍」すなわち「有」の世界（「超感覚的世界」）には、数学者や論理学者、哲学者の思考対象が属する、と言っているのですから、私とほぼ同様に考えていたわけです。

ところが、カントはこのような考え方をはっきりと否定します。コペルニクスの宇宙体系やニュートンの万有引力の法則は、「叡智界」＝「超感覚的世界」にではなく、「現象界」＝「感覚的世界」に属すると言い切るのです。彼は「概念なき直観」も「直観なき概念」もともに認識ではないとして、あくまでも感性と悟性の共同作業にこだわっていました。したがって、カントの「現象界」＝「感覚的世界」はたんなる「感覚的」な世界ではなく、悟性の「概念」も含めた「経験的世界」のことなのです。その結果、「物自体」の棲み処である「叡智界」＝「超感覚的世界」は「存在するもののない世界」（「ヌーメノン（可想的存在）の世界」）になってしまったのでした。

実在するものは「度（内包量）」をもつ

私は、カントの「現象」についての考え方は、現代の私たちの考え方にかなり近いものだと考えています。しかし、「現象」の背後に不可知なる「物自体」を認める点で、やはりカントも18世紀という時代の制約を受けていたと言うべきでしょう。その制約とは客観的に存在するのは、基本的に「物体」すなわち「もの」であるという信念です。デカルトは、真に存在するもの（実体）は「精神」と「物体」であるとしましたが、客観的世界において実際に存在するのは「延長」をもつ「物体」すなわち「もの」でした。そして、個々の「物体」に関して私たちが直接知りうるのは「光と色」「音」「香」「味」「熱と冷」「触覚的性質」などの「外来の観念」すなわち「感覚」の観念であり、一方、「実体」「形」「場所（位置）」「運動」「持続」「数」などの普遍的な観念は「生得観念」として「精神」に属するとしたのです。つまり、私たちが個々の「物体」の存在に関して直接に知りうるのは「感覚」だけであり、「感覚」はしばしば誤ることがありましたから、「物体そのもの」が客観的に存在することは疑いえないとしてもそれ以外は不可知であるとされたのです。

デカルトの「感覚の観念」は「観念」なので、どうしても物体の「表象」という印象が強く「実在性」に乏しい点は否めません。ですから、その「表象」を支える「物体そのもの」に「実在性」が強く感じられたのです。しかし、カントはこの「物体そのもの」に感じられていた

「実在性」が実は「感覚」に属していると言います。カントは『純粋理性批判』の「純粋悟性概念の図式論」において、「実在性」は「度（内包量）」という「図式（概念と現象を結びつける表象）」であり、「感覚は度を有する」と言っています。つまり、「実在性」（「度」という図式）は「物体そのもの」にではなく、「感覚」すなわち「現象」に属するのです。

この「実在性」は「度（内包量）」であるというカントの見解は、私たちの素朴な実感と一致するように思われます。私たちが「目の前にあるリンゴ」に「写真の中のリンゴ」とは違う「実在性」を感じるのは、この「度（内包量）」の違いに基づくことは明らかでしょう。目の前にあるリンゴに感じられる「度（内包量）」の方が、写真の中のリンゴに感じられる「度（内包量）」よりもはるかに多いのです（もちろん、カントはカラー写真を見たことはなかったでしょうが）。そこで、私はカントの「現象」についての考え方は現代の私たちの考え方にかなり近いと言ったのですが反面、「物自体」からは「実在性」が完全に取り除かれてしまったのです。こうして、「物自体」は「ヌーメノン（可想的存在）」（これは「想像物」と同じと思われます）と呼ばれることになったのです。

「物自体」はイデアか想像物か

「物自体」から「実在性」が完全に取り除かれたにもかかわらず、カントが「物自体」が「ヌーメノン（可想的存在）」として「叡智界」に存在することにこだわったのはなぜでしょうか。それは、ひとつには「叡智界」における他の「理念」すなわち「自由」や「神」の存在を道徳的実践において証明する道を残しておきたかったという意味もあったでしょう。しかし、一番の理由は、「物体」は「個物（もの）」として存在する、つまり、何かしらの「基体」として存在するのであって、「関係（こと）」として存在するのではないと考えていたか、そもそもラッセルが指摘するように「関係（こと）」が存在すること自体に気づかなかったからではないでしょうか。カントも、客観的に存在するのは基本的に「物体」すなわち「もの」であるという信念から逃れることができなかったのです。

「太陽」や「地球」という「個物（もの）」が存在するだけでなく、「太陽と地球との間の距離」という「関係（こと）」もまた存在することを認めるならば、「物自体」を「関係（こと）」として理解することも可能であったと思われます。つまり、「物自体」を「物の自分自身との関係」と捉えるのです。「物自体」を「物体（もの）」と捉える限り不可知感は解消されないでしょうが、これを「物の自分自身との関係（こと）」と捉えるなら不可知感は解消されます。しかも、「物自体」が存在するかどうかについて迷う必要もありません。「物自体」は「感覚的世界」における「物体（もの）」としてではなく、「超感覚的世界」における「関係」あるいは「イデア」として存在していると考えればいいのです。それは「実体」や「本質」、「存在」などが「イデア」として存在しているのと同じことなのです。もし、あなたが「物自体」を「実体」と同じ「イデア」と考えることに違和感があるとすれば、「物自体」はたんなる「想像物」だと考えても問題はないでしょう。「想像物」も「永遠性と普遍性をもった観念」である「イデア」もともに「観念」であり、ある対象をどちらと考えるかはある程度主観的な判断に委ねられているのですから。

現代は「こと」の存在感が高まっている

今の私たちには、「物自体」というアポリア（難問）を克服するにはどうしたらいいかすぐにわかります。それは「物自体」という概念を見直すことです。それは「存在」の定義を見直すことであり、「存在」

に質的差異があることを認めることなのです。端的に言えば、「物体」すなわち「もの」が存在するだけでなく、「もの」と「もの」との「関係」である「こと」も存在することを認めることです。「こと」が「もの」と同じ程度に存在することを認めることは「法則」が「物体」と同じ程度に「実在性」をもつことを認めることなのです。「もの」と「もの」との「関係」が「もの」と同じ程度むしろそれ以上に存在していることを受け入れなければならないのです。

見せかけの背後に隠れている本物を見つけ出したいという欲求は自然なものです。それゆえ、哲学者たちは現実あるいは現象の背後にあるとされるイデア（真実在）あるいは本質を探求してきたのです。近代になり、彼らは現象が「個物（物体）」に由来する「感覚」であり、本質が精神に由来する「概念」であると区別しましたが、どちらも「もの」として存在することを暗黙の了解としていたように思います。それゆえ、カントも現象の背後にある「物自体」が「もの」であることにこだわっていたのです。カントは、「関係」について正しく認識していましたが、「関係」はあくまで「純粋悟性概念（カテゴリー）」であって「存在」とは考えていなかったのです。

「イデア（真実在）」や「超感覚的世界」というと、何となく非日常的で理想的で高尚で神秘的な何かを想像させます。しかし、私たちは日常的に「感覚的世界」に生きていると同時に「超感覚的世界」においても生きているのです。「感覚的世界」と「超感覚的世界」は分離したものではなく、現実の経験の中で重なり合っているのです。私たちが夜空の星を見て美しいと感じるとき、私たちは「感覚的世界」にいるのであり、それらの星が北極星を中心として回転していると考えるとき、私たちは「超感覚的世界」にいるのです。私たちは星という「もの」が存在し、運動法則という「こと」が存在している世界で生活しているのです。

科学技術の発達は「イデア（真実在）」や「超感覚的世界」から、そのような神秘性を奪っていきましたが、それでも哲学者は、一次的に存在するのは「もの」であり、「こと」は二次的な存在にすぎないと考え続けてきたように思います。しかし、現代はそのような「もの」中心の存在観に変更を迫りつつあるように思います。その理由として、まずCG（コンピュータ・グラフィック）やVR（バーチャル・リアリティ＝仮想現実）などの技術の発達により「感覚的世界」を支えていた「もの」の存在があいまいになってきたことや、インターネットやスマートフォンの普及によって情報（こと）が実物（もの）以上に価値と影響力をもつようになってきたことなどが挙げられるでしょう。こうして、現代では「もの」に比べ「こと」の存在感が相対的に高まっているのです。現代の哲学は、この事実を踏まえたうえで展開されなければならないでしょう。最後に、私が考える存在の分類表を示しますので、参考にしてください。

5　存在の分類

1　すべての「もの」と「こと」は考える（頭の中で思い浮かべる）ことができるので、すべての「もの」と「こと」には観念がある。

1－1　想像物とは、いかなる存在も対応していない観念のことである。

2　存在の世界には、「感覚的世界」と「超感覚的世界」がある。

2－1　存在は「もの」と「こと」に分かれるが、感覚的世界には「もの」だけが存在し、超感覚的世界には「もの」と「こと」が存在する。

<table>
<tr><td>頭の中（観念）</td><td colspan="2">頭の外（存在）</td><td></td></tr>
<tr><td rowspan="4">すべての「もの」と「こと」の観念

想像物（ゴジラ）</td><td>もの</td><td>こと</td><td rowspan="2">超感覚的世界</td></tr>
<tr><td>［具象的なイデア］
幾何学の図形・自然数
［抽象的なイデア］
自由・本質・存在・真理</td><td>関係
論理学
法則</td></tr>
<tr><td>［物質的なもの］
価値（快の感情）
美・善・幸福・愛・正義</td><td></td><td rowspan="2">感覚的世界</td></tr>
<tr><td>［物質］
テニスボール・地球・素粒子
力</td><td></td></tr>
</table>

3　　感覚的世界の存在は「物質」と「物質的なもの」に分かれる。

3－1　　「物質」は「空間内に延長をもち、一定の位置を占める」存在であり、力も物質の一種である。

3－2　　「物質的なもの」とは、「快の感情」（身体）と結びついた「価値」である。「価値」には、美・善・幸福・愛・正義などがあり、これらは哲学や心理学の対象となる。真は価値というより、超感覚的なイデア（「真理」）と考えた方が妥当であろう。

4　　「こと」は超感覚的世界にのみ属する。これには、関係・論理学・法則などがある。

4－1　　「こと」特に「関係」が主観的な観念ではなく、超感覚的な「存在」であることを明確にしたのは、ラッセルの功績である。また、空間は位置「関係」、時間は前後「関係」の一般化とも考えられる。

5　超感覚的世界に属する「もの」は、「具象的なイデア」と「抽象的なイデア」に分かれる。

5－1　「具象的なイデア」は、形象的明証性をもった幾何学の図形や自然数などであり、定義がそのまま存在である。これらは数学の対象となる。

5－2　「抽象的なイデア」は、自由・本質・存在・真理などであり、定義することは難しいが、永遠性と普遍性をもった概念である。これらは哲学の対象となる。

5－3　自由・本質・存在・真理などの超感覚的な「イデア」と美・善・幸福などの感覚的な「価値」との区別ではしばしば混乱が生じるが、「快の感情」が伴うかどうかが判断の目安となる。

5－4　道徳（倫理）には、「超感覚的なもの（法則・義務など）」の側面を強調するものと、「感覚的なもの＝価値（善・幸福・正義など）」の側面を強調するものとの二系統がある。前者を代表するのがカントの道徳哲学であり、後者を代表するのが功利主義である。

6　想像物は対象（存在）をもたない観念であるが、たんなる想像物か超感覚的存在かあるいは物質か解釈が分かれるものとしては、神・霊魂・物自体などがあり、また、物質である可能性があるものとしては、未知の（検証されていない）素粒子などがある。

7　「感覚的世界」と「超感覚的世界」とを明確に区別した哲学者としては、プラトンとカントが有名である。プラトンは美や善などの「価値」を「イデア」として「超感覚的世界」に属するとし、カントは「超感覚的世界」に属するのは、物自体と神・霊魂・自由などの「理念（イデー）」のみであるとした。しかし、どちらも「関係」が「超感覚的世界」に属するとは考えていなかった。「関係」が「超感覚的世界」の「存在」であることを明確にしたのはラッセルの功績である。彼によって、「存在」には「感覚的存在」と「超感覚的存在」との２種類の「存在」があることが明確にされたのである。

8　本章は「存在するもの」を扱っているので、いかなる存在も対応していない観念（想像物）は「存在しないもの」として除外した。しかし、「存在しないもの」が「こと」を含めた「存在するもの」以上に、私たちの思考や行動に影響を与える場合もある。カントの「物自体」をそのような「存在しないもの」と考えるならば、ここで扱った「感覚的世界」「超感覚的世界」とは別の「第三の世界」すなわち「存在しないものの世界」が垣間見えてくる。この世界はおそらく神話や宗教あるいは「実存」などと深くかかわっていると思われるが、それを検討するのは他の機会に委ねなければならない。

参考文献

・プラトン『国家』（下）（藤沢令夫訳、岩波文庫、2008）
・デカルト『省察』（山田弘明訳、ちくま学芸文庫、2015）なお、山田訳では、観念の realitas objectiva を「表象的実在性」と訳していますが、一般的な「客観的実在性」にしました。
・ロック『人間知性論』（一）（大槻春彦訳、岩波文庫、1975）
・バークリ『ハイラスとフィロナスの３つの対話』（戸田剛文訳、岩波文庫、2009）
・ヒューム『人性論』（土岐邦夫・小西嘉四郎訳、中公クラシックス、2017）
・カント『純粋理性批判』（上）（中）（篠田英雄訳、岩波文庫、1975）
・ラッセル『哲学入門』（高村夏輝訳、ちくま学芸文庫、2009）

第３章　正しい知識

1　判断と命題

知識（認識）は判断（言表）によって得られる

正しい知識は正しく思考することあるいは正しく判断することによって得られます。私たちがもつ最も基本的な知識は感覚による知覚でしょう。私の目の前に１本の赤いバラの花があり、今私はその花を見ているとしましょう。しかし、花が見えているだけではまだ知識（認識）にはなっていません。そこには何らかの出来事あるいは事態が生じていますが、私はまだそれを言い表してはいません。ただ赤い物体が見えているだけです。赤ん坊ならこの段階で止まってしまいますが、私は言葉を覚えて、「バラの花」や「赤い」という言葉の意味を理解できますから、私は目の前の出来事を指して「このバラの花は赤い」あるいは「赤いバラの花がある」と言い表すことができます。このように言い表したとき、私は目の前の出来事を「認識」したことになります。あるいはこれを「判断」と言ってもいいでしょう。私は目の前の出来事が示しているものを「このバラの花は赤い」と判断したのです。この判断によって私は「このバラの花は赤い」という知識を得たことになります。

「このバラの花は赤い」という判断は同時に言い表されたものすなわち「言表」です。知識のもとになるものは、私の目の前の或る出来事の知覚ですが、知覚だけでは、知識はまだ私だけの個人的なものであり、その出来事が「何であるか」を言い表していませんから、知識はまだあいまいのままに留まっています。そこで知識を明確にするために、私は目の前の出来事を「このバラの花は赤い」と判断（言表）したのです。このように言表したことによって、私はその知識を他人と共有することができるようになります。そして、知識は他人と共有することができてはじめて、その知識が正しいか正しくないかを確認することができるのです。私は目の前の或る出来事を「このバラの花は赤い」と判断（言表）しましたが、その物体は「バラの花」ではないかもしれませんし、その色は「赤」ではないかもしれません。もし私の判断が間違っていれば、その出来事を見ている別の人は「これはバラの花ではない」とか「この花の色は赤ではない」などと言表するでしょう。その言表を聞いて、私は自分の判断（認識）が正しかったのか間違っていたのかを知るのです。

命題の真偽

ある出来事の知覚はまだ知識ではありません。その出来事が言表されたとき、はじめて知識となるのです。言表は或る出来事を言葉で表現したもののことです。或る出来事とは、「何か或るものが或る状態にあること」を意味しています。この「何か或るもの」を主語、「或る状態にあること」を述語と呼びましょう。すると、言表は「主語－述語」という形を取ることになります。「このバラの花は赤い」という言表の主語は「このバラの花」であり、述語は「赤い」です。また、「赤いバラの花がある」という言表の主語は「赤いバラの花」であり、述語は「ある（有る）」です。言表が有意味なものであり、正しいか正しくないかが判定できるとき、この言表は「命題」と呼ばれます。したがって、知識は「命題」の形で表現されます。

ある「命題」が正しいとき、この命題は「真」であり、正しくないとき、この命題は「偽」であるといいます。したがって、命題とは真偽が判定できる言表のことです。では、命題はいかなるときに真であり、いかなるときに偽なのでしょうか。「このバラの花は赤い」という命題は、目の前にある物体が「ユリの花」ではなく「バラの花」であり、その花の色が「白」ではなく「赤」であるならば、この命題は真であり、そうでないならば偽であることになります。つまり、命題の真偽は、その命題が言表している内容がそれが指し示す出来事と一致していれば真であり、一致していなければ偽ということになるのです。

ここで1つ補足しておきましょう。上記の定義は命題の真偽についての一般的な定義ですが、これは基本的に私たちが知覚できる出来事についての命題に関するものです。ところが、命題のなかには私たちが直接知覚できない出来事に関するものも当然あります。むしろそのような命題の方が多いでしょう。そのような命題の場合には、命題の真偽を命題と出来事との対応関係ではなく、命題の「主語－述語」関係に注目して判定する方法があります。これはアリストテレスに由来すると考えられていますが、主語と述語の類種関係（主語の集合と述語の集合との包摂関係）に着目するものです。たとえば、「クジラは哺乳類である」という命題は、主語の「クジラ」という種は述語の「哺乳類」に属する、つまり包摂されるから真である、と考えるのです。この考え方からすると、「このバラの花は赤い」という命題は、主語の「このバラの花」が述語の「赤いもの」の集合に属するから真である、ということになりますが、「赤いもの」の集合というものを考えること自体やや不自然な感じがします。また、「赤いバラの花がある」という命題については、主語は「赤いバラの花」であり、述語は「ある（有る）」ですから、「赤いバラの花」は「ある（有る）」ものの集合に属するということを意味することになります。しかし、これはたんなる命題の真偽を超えた深刻な問題（「存在論」）にかかわる可能性が出てくるでしょう。したがって、主語と述語の類種（包摂）関係を命題の真偽の判定基準として使うことは、「クジラは哺乳類である」や「東京は日本の都市である」などのように類種（包摂）関係がある程度特定できるものについては有効ですが、一般的には、命題と出来事との対応関係を真偽の判定基準と考えるのが妥当でしょう。

2　論理の基礎

論理結合子

さて、正しい知識を得るためには正しく思考しなければなりません。そして、正しく思考するためには一定の規則（法則）に従わなければならないことは明らかでしょう。この正しく思考するために従わなければならない規則（法則）を「論理」と言います。この論理を研究する学問が「論理学」です。現代では、論理学の内容は数学の影響を受け、記号で表現されることが多いです。つまり、現代の論理学は「記号論理学」です。本章では、記号論理学の基本事項を抑えておくことは必要不可欠ですので、まずは「論理結合子」「恒真式」「推論」などについて確認しておきましょう。

記号論理学では、命題を否定したり、結合したりする機能をもった品詞（記号）を「論理結合子」と言いますが、これには５種類あります。なお、以下のｐとｑは命題を表しています。

1　否定：¬　¬ｐ「ｐではない」

2　連言：∧　ｐ∧ｑ「ｐかつｑ」

3　選言：∨　p∨q「pまたはq」

4　条件（仮言）：→　p→q「pならばqである」

5　双条件（等値）：≡　p≡q「pとqは等値」

この５つの論理結合子の中で５の双条件（等値）を除く４つの論理結合子について具体例を挙げながら見ていきましょう。先に挙げた「このバラの花は赤い」という命題は実際には２つの命題を結合した複合命題になっています。２つの命題とは「この花はバラである」と「この花は赤い」です。今「この花はバラである」という命題をp､「この花は赤い」という命題をqで表します。すると、否定¬pは「この花はバラではない」という命題を表していることになります。次に、連言p∧qは「「この花はバラであり」かつ「この花は赤い」」という命題を表していることになります。この命題は最初の「このバラの花は赤い」と同じ内容になっています。また、選言p∨qは「「この花はバラであるか」または「この花は赤い」」という命題を表しており、条件（仮言）p→qは「「この花がバラである」ならば「この花は赤い」」という命題を表していることになります。

連言命題の真理値

命題とは真偽が判定できる言表のことですから、真か偽のいずれかの値をもっています。つまり、命題の「真理値」は真であるか偽であるかの２値です。したがって、pが真であるならば、その否定である¬pは偽であることになり、また、逆にpが偽であるならば、その否定である¬pは真であることになります。つまり、命題の真理値は否定によって反対のものになるのです。したがって、否定の否定（二重否定）¬¬pはpすなわち真となります。これが否定¬の機能（定義）です。

では、他の論理結合子が付いた複合命題の真理値はどのようにして決まるのでしょうか。連言命題$p \land q$は、pとqの２つの命題を要素としています。したがって、連言命題$p \land q$の真理値は、pの真理値とqの真理値との組合せによって決まることになります。今、要素命題p、qの真理値が真であれば１、偽であれば０で表し、それらの真理値が複合命題の真理値といかなる関係にあるかを示した「表(真理値表)」を作成すると、(表 1) のようになります。

(表 1)

p	q	$\neg p$	$\neg\neg p$	$p \land q$
1	1	0	1	1
1	0	0	1	0
0	1	1	0	0
0	0	1	0	0

(表 1) から明らかなように、連言命題$p \land q$におけるpとqの組合せは（1、1）（1、0）（0、1）（0、0）の４つですが、そのうち$p \land q$が真であるのは（1、1）のときだけであり、残りの組合せのときは、すべて偽となります。具体的な命題で言えば、連言命題「「この花はバラであり」かつ「この花は赤い」」が真であるためには、「この花はバラである」が真であり、かつ「この花は赤い」も真でなければならないということです。つまり、$p \land q$はpとqがともに真であるときにのみ真です。例に挙げた連言命題の要素命題は２つだけですが、要素命題の数がいくつあってもそのすべてが真でなければ連言命題は真にならないのですから、連言命題が真であるための条件は非常に厳しいと言うことができるでしょう。

選言命題の真理値

次に、選言命題「「この花はバラであるか」または「この花は赤い」」について考えてみましょう。選言命題p∨qの真理値もpとqの4つの組合せによって決まります（表2)。このうちp∨qの真理値が真となるのは（1、1）（1、0）（0、1）であり、（0、0）のときだけp∨qは偽となります。つまり、選言命題「「この花はバラであるか」または「この花は赤い」」が偽であるのは、「この花はバラではない」と（かつ）「この花は赤くない」の組合せのときだけです。ここで戸惑う読者がいるかもしれません。（1、1）つまり「この花はバラであり、（かつ）この花は赤い」も偽ではないかという疑問です。日常言語においては、「AとBのいずれか」と言う場合、どちらか一方だけを指し、「AとBの両方」は除くことが多いでしょう。これを「排他的」選言といいます。しかし、論理学では、（1、1）のときもp∨qは真であるという「包括的」選言を採用しています。このように、論理的命題は、日常言語とは異なる規則を採用している場合があるので注意を要します。

さて、pとqの（0、0）という組合せは、pとqがともに偽である組合せですから、これは¬pと¬qがともに真である組合せ、すなわち¬pと¬qの（1、1）という組合せと同じです。この「¬pと¬qがともに真である」は、連言記号∧を使って「¬p∧¬q」と表すことができます。そして、このときにのみ選言命題p∨qは偽すなわち「¬（p∨q)」となりますから、「¬p∧¬q＝¬（p∨q)」が成り立ちます。この両辺に否定を施し、両辺を入れ替えると、「p∨q＝¬（¬p∧¬q)」という式が得られます。この式が真であることは、（表2）の真理値表で確認できます。また、この式が意味するのは、「「この花はバラであるか」または「この花は赤い」」という選言命題が真であるのは、「「この花はバラではないし、（かつ）赤くもない」が成り立たない」ときである、ということです。ここで重要なのは、選言命題ｐ∨ｑは否定￢と連言記号∧を用いて表記できるということです。ある論理結合子の付いた命題が別の論理結合子の付いた命題に翻訳できるからこそ、私たちは知識を増やすことができるのです。

（表 2）

ｐ	ｑ	￢ｐ	￢ｑ	ｐ∨ｑ	￢ｐ∧￢ｑ	￢（￢ｐ∧￢ｑ）
1	1	0	0	1	0	1
1	0	0	1	1	0	1
0	1	1	0	1	0	1
0	0	1	1	0	1	0

条件（仮言）命題の真理値

次に、条件（仮言）ｐ→ｑ「ｐならばｑである」について考えてみましょう。先に触れたように、ｐ→ｑは「「この花がバラである」ならば「この花は赤い」」という命題を表しています。これは「バラの花はみな赤い」という意味になります。しかし、これは明らかに偽でしょう。バラの花の中には、赤ではなく黄や白もあるからです。また、連言命題や選言命題の場合は、その要素であるｐやｑの要素命題どうしの関係（位置）については考えなくてもよかった。つまり、ｐ∧ｑでもｑ∧ｐでもよかったわけです。しかし、条件（仮言）命題の場合は、ｐとｑの内容および関係（位置）を考慮しなければなりません。ｐ→ｑのｐの位置を「前件」、ｑの位置を「後件」といいます。つまり、この命題は、「ｐはｑの条件である」という関係を表しているのです。

今、「「明日晴れた」ならば、「私はドライブに行く」」という条件（仮言）命題ｐ→ｑの真理値（真偽）を考えてみましょう。ｐの真理値は「明日（当日）は晴れた」であれば 1、「明日（当日）は晴れなかった」は0です。また、ｑの真理値は「私はドライブに行った」であれば 1、「私はドライブに行かなかった」は0です。ｐとｑの４つの組合せのうち、（1、1）は「当日は晴れて、私はドライブに行った」のだから条件（仮言）命題は真です（表 3）。次に、（1、0）は「当日は晴れたのに、私はドライブに行かなかった」のだから条件（仮言）命題は偽です。つまり、私は嘘を言ったことになります。問題は次の 2 つです。（0、1）は「当日は晴れなかったが、私はドライブに行った」であり、（0、0）は「当日は晴れなかったので、私はドライブに行かなかった」ですが、この命題の真偽をどのように考えたらいいのでしょう。日常言語であれば、「当日は晴れなかったが、私はドライブに行った」および「当日は晴れなかったので、私はドライブに行かなかった」は真でも偽でもないように感じる人もいるでしょうし、「当日は晴れて、私はドライブに行った」が真であるのですから、「当日は晴れなかったので、私はドライブに行かなかった」も真であるように感じる人もいるでしょう。しかし、論理学は次のように解釈（定義）します。この条件（仮言）命題においては、「明日晴れること」が「私がドライブに行くこと」の条件です。つまり、この命題が成り立つためには、前件は必ず真でなければなりません。前件が真で後件も真であるとき、条件（仮言）命題は真となり、前件が真で後件が偽のとき、条件（仮言）命題は偽（嘘）となります。そしてもし、前件が偽であるときは、後件の真偽にかかわらず、条件（仮言）命題は真であると見なすのです（表 3）。このように、条件（仮言）ｐ→ｑ「ｐならばｑである」という命題の真理値（真偽）は、論理学と日常言語とではかなりのギャップがあると言わなければならないでしょう。

（表 3）

p	q	¬ p	¬ q	p→q	¬ p ∨ q	p ∧ ¬ q	¬(p ∧ ¬ q)
1	1	0	0	1	1	0	1
1	0	0	1	0	0	1	0
0	1	1	0	1	1	0	1
0	0	1	1	1	1	0	1

条件（仮言）命題を選言記号と連言記号で表す

ところで、条件（仮言）命題ｐ→ｑは、ｐとｑの真理値の４つの組合せのうち、定義によって（1、1）（0、1）（0、0）のとき真です。これはつまり、ｐ→ｑは「「ｐが偽（0）であるか」または「ｑが真（1）である」」とき真であるということです。実際、（1、1）は「ｑが真（1）である」に該当し、（0、1）は「ｐが偽（0）である」と「ｑが真（1）である」の両方に該当し、（0、0）は「ｐが偽（0）である」に該当します。したがって、選言記号∨を用いて「ｐ→ｑ＝¬ｐ∨ｑ」という式が成り立ちます。また、ｐ→ｑが偽であるのは、ｐとｑの真理値が（1、0）のとき、すなわち「「ｐが真（1）であり」かつ「ｑが偽（0）である」」ときだけですから、連言記号∧を用いて「¬（ｐ→ｑ）＝ｐ∧¬ｑ」が成り立ちます。以上のことから、条件（仮言）命題ｐ→ｑの真理値は、「¬ｐ∨ｑ」のとき真となり、「ｐ∧¬ｑ」のとき偽となることがわかります。ここで、先の式「¬（ｐ→ｑ）＝ｐ∧¬ｑ」の両辺に否定を施せば、「ｐ→ｑ＝¬（ｐ∧¬ｑ)」が得られます。これは、ｐ→ｑは「ｐが真であり、かつｑが偽であるとき、偽である」ということです。つまり、ｐ→ｑは真理値が真であることを条件として得られた式「ｐ→ｑ＝¬ｐ∨ｑ」（イ）と、偽であることを条件として得られた式「ｐ→ｑ＝¬（ｐ∧¬ｑ)」（ロ）の２通りに表すことができるということです。(イ) と (ロ) が正しいことは (表3) から明らかでしょう。

次に、実際に（イ）から（ロ）を導いてみましょう。先に、選言命題p∨qは否定¬と連言記号∧を用いて表記できること、つまり、「p∨q＝¬（¬p∧¬q)」(ハ）を証明しましたが、この式を用いて証明してみましょう。まず（イ）の右辺は「¬p∨q」であり、(ハ)の左辺は「p∨q」ですから、(ハ）の左辺の「p」を「¬p」に置き換えると、(イ) の右辺と同じ形「¬p∨q」になります。ここで (ハ)の右辺の「p」も「¬p」に置き換えると、(ハ）の式は「(¬p）∨q＝¬（¬（¬p）∧¬q)」となります。ここで二重否定¬¬を解消すると、「¬p∨q＝¬（p∧¬q)」が得られます。この式の右辺は（ロ）の右辺と同じです。つまり、（イ）の右辺と（ロ）の右辺は等しいことが証明されたのです。

条件（仮言）命題と因果関係

以上のことから、条件（仮言）命題p→qは、否定と選言あるいは連言記号で表すことができることがわかったわけですが、すでに見たように、選言命題p∨qも連言命題p∧qもその真理値はpとqの位置によっては影響されませんでした。つまり、p∨q（p∧q）とq∨p（q∧p）とは真理値が同じです。ところが、私たちが普通「AならばBである」と言うとき、私たちは「Aが原因となって、Bという結果を引き起こした」という因果関係を考えていることが多いでしょう。つまり、条件（仮言）命題p→qのpすなわち前件が原因であり、qすなわち後件が結果であるという時間的前後関係を考えていることが多いのです。

たとえば、「この薬を飲めば、感染症が治る」と言うとき、私たちは、この命題は「この薬を飲む」が原因で「感染症が治る」が結果であるという因果関係を指している、と考えるのが普通でしょう。薬を飲んだ結果、感染症が治れば、その薬は効果があったのであり、薬を飲んでも、感染症が治らなかったら、その薬は効果がなかった、と判断するのです。当然のこととして、原因は結果に対して時間的に先行します。ところが、論理学の条件（仮言）命題ｐ→ｑは、必ずしも因果関係を示しているとは限らないのです。選言∨にしても連言∧にしても、時間的な前後関係とは無縁なのです。「この薬を飲めば、感染症が治る」という命題は、「薬を飲んだ」と「感染症が治った」がともに真であれば、真であり、「薬を飲んだ」が真で「感染症が治った」が偽であれば、偽です。そして、「薬を飲んだ」が偽であれば、「感染症が治っても、治らなくても」、条件（仮言）命題は真であると見なすのです。論理学においては、条件（仮言）命題ｐ→ｑは、「因果関係」とは直接関係ないことは銘記しておきましょう。

３　恒真式と推論

恒真式（トートロジー）

さて、今まで扱ってきた命題は経験的な命題であり、命題の真偽は、その命題が言表している内容がそれが指し示す出来事と一致していれば真であり、一致していなければ偽でした。ところが、命題の中には、命題と出来事との対応関係を考えなくとも、常に真である命題が存在します。このような命題を「恒真式（トートロジー）」と言います。代表的な恒真式は次の３つです。

１　矛盾律：¬（ｐ∧¬ｐ）

２　排中律：ｐ∨¬ｐ

3　同一律：p≡p

上のpを「この花はバラである」という命題だとすると、矛盾律は、「「この花はバラであり」かつ「この花はバラではない」」ことはない」。排中律は「「この花はバラであるか」または「この花はバラではないか」である」。同一律は「「この花はバラである」と「この花はバラである」は等値である」ということになります。この３つを「論理の三原則」と言いますが、このうち特に、肯定と否定とを同時には認めないという矛盾律がもっとも重要であるとされます。矛盾律が守られず、同一命題についてその肯定と否定がともに真であることになると、「論理」全体が破綻してしまうからです。また、これ以外でも、すでに見た「p∨q＝￢（￢p∧￢q）」、「p→q＝￢p∨q」、「p→q＝￢（p∧￢q）」なども恒真式です。恒真式は要素命題の内容にかかわらず、常に真である非経験的な命題です。

推論…演繹法と帰納法

ところで、私たちが論理的に思考するという場合、私たちは論理に従ってある命題からある命題を導き出しています。このとき、導かれるもとの命題を「前提」といい、導かれた命題を「結論」と言います。このように「前提」から「結論」を導く操作を「推論」と言います。推論の方法は大きく「演繹法」と「帰納法」の２つに分かれます。

演繹法は恒真式を用いて真なる命題から真なる命題を導く推論方法です。具体的には、一般的・普遍的な命題や法則を前提として、必然的に個別的事象についての結論を導くもので、結論の内容はすべて前提に含まれていますから、その妥当性は非常に高くなります。しかし、前提にない新しい知識を産み出すものではありません。他方、帰納法は個別的事象から一般的・普遍的命題を導くもので、新しい知識の獲得には有効ですが、結論は前提から必然的に導き出せるわけではないので、その妥当性は必ずしも高くはありません。したがって、確率的であり蓋然的です。演繹法はおもに数学の推論に用いられ、帰納法はおもに自然科学の推論に用いられています。

定言三段論法

まずは、演繹法から見ていきましょう。演繹法を代表する推論方法は、「三段論法」と言われるものです。三段論法とは、次に示すように、２つの前提（大前提と小前提）から結論を導くというものです。

〈大前提〉	*ＭはＰである*	*（［すべての］人間は死ぬ）*
〈小前提〉	*ＳはＭである*	*（ソクラテスは人間である）*
〈結　論〉	*ゆえに、ＳはＰである*	*（ゆえに、ソクラテスは死ぬ）*

２つの前提にあるＭ（媒名辞、例文では「人間」）がＳ（主語、「ソクラテス」）とＰ（述語、「死ぬ」）を結びつけるはたらきをしますが、結論では消えるという構造になっています。この三段論法は、前提と結論がすべて定言命題（「ＡはＢである（ない）」）になっているので、正確には「定言三段論法」と言います。さらに詳しく言うと、１つの定言命題には、主語Ａが「全称（すべての）」か「特称（ある）」か、また、述語Ｂが「肯定」か「否定」かによって、４つの文型が考えられます。さらに、定言三段論法はＳ・Ｍ・Ｐの位置によって４つの形態（「格」）が考えられます。４つの格を次に挙げましょう。

	第１格	*第２格*	*第３格*	*第４格*
〈大前提〉	*Ｍ－Ｐ*	*Ｐ－Ｍ*	*Ｍ－Ｐ*	*Ｐ－Ｍ*
〈小前提〉	*Ｓ－Ｍ*	*Ｓ－Ｍ*	*Ｍ－Ｓ*	*Ｍ－Ｓ*
〈結　論〉	*Ｓ－Ｐ*	*Ｓ－Ｐ*	*Ｓ－Ｐ*	*Ｓ－Ｐ*

〈大前提〉〈小前提〉〈結論〉の 3 つの命題について、それぞれ 4 つの文型があるので、1 つの格について 4 × 4 × 4、したがって 64 通りの組合せがあることになります。これが 4 格あるので、定言三段論法の組合せは合計 256 通りになります。しかし、常に正しい推論ができるのは、例に挙げた第 1 格と第 2 格の一部でしかないとされています。先ほどの例は第 1 格でしたので、もう 1 つの正しい推論として第 2 格の例を挙げましょう。

〈大前提〉　P－M（否定）　［すべての］魚は哺乳類ではない
〈小前提〉　S－M　　クジラは哺乳類である
〈結　論〉　S－P（否定）　ゆえに、クジラは魚ではない

このように、第 2 格は、〈大前提〉 PはMではない（否定）〈小前提〉 SはMである〈結論〉ゆえに、SはPではない（否定)、のときに正しい推論となります。ただし、〈大前提〉が肯定の場合は、推論が正しいかどうかはわかりません。

〈大前提〉　P－M　魚は泳ぐ
〈小前提〉　S－M　クジラは泳ぐ
〈結　論〉　S－P　ゆえに、クジラは魚である

これは明らかに間違いです。
今度は、第 3 格の例を考えてみましょう。

〈大前提〉　M－P　鳥は卵を産む
〈小前提〉　M－S　鳥は翼をもつ
〈結　論〉　S－P　ゆえに、翼をもつものは卵を産む

これは正しい推論のように見えますが、必ずしもそうとは言えません。コウモリは翼をもちますが、哺乳類なので卵は産まないからです。したがって、〈結論〉は間違っていることになります。このように、定言三段論法は、多くの場合、２つの前提が真であっても、結論が真であるとは限りません。ただ、先に説明した２つの三段論法については、結論は常に真になる（恒真式）と考えていいでしょう。

[結論が肯定形になる三段論法]

〈大前提〉　すべてのＭはＰである　（すべての人間は死ぬ）

〈小前提〉　ＳはＭである　（ソクラテスは人間である）

〈結　論〉　ゆえに、ＳはＰである　（ゆえに、ソクラテスは死ぬ）

[結論が否定形になる三段論法]

〈大前提〉　すべてのＰはＭではない　（すべての魚は哺乳類ではない）

〈小前提〉　ＳはＭである　（クジラは哺乳類である）

〈結　論〉　ゆえに、ＳはＰではない　（ゆえに、クジラは魚ではない）

仮言三段論法

次に、「仮言三段論法」を見ておきましょう。これは仮言（条件）記号→を用いて、次のように表記することができます。ｐ、ｑ、ｒはそれぞれ命題を表します。

①　*〈大前提〉　$p \rightarrow q$　（ｐならばｑである）*

明日晴れたならば、私はドライブに行く

〈小前提〉　$q \rightarrow r$　（ｑならばｒである）

私がドライブに行けば、家は留守になる

〈結　論〉　$\therefore p \rightarrow r$　（ゆえに、ｐならばｒである）

ゆえに、明日晴れたならば、家は留守になる

このように、大前提、小前提、結論のすべてが仮言命題である推論を、標準型の仮言三段論法と言います。

これに対して、大前提だけが仮言命題である推論を、混合仮言三段論法と言います。混合仮言三段論法には、〈小前提〉の違いによって、前件肯定、前件否定、後件肯定、後件否定の 4 種類がありますが、このうち常に真である推論は、次の 2 つです。

②	*〈大前提〉*	$p \to q$	*(pならばqである)*	*鳥であるならば、卵を産む*
	〈小前提〉	p	*(pである)*	*鳥である*
	〈結　論〉	$\therefore q$	*(ゆえに、qである)*	*ゆえに、卵を産む*

③	*〈大前提〉*	$p \to q$	*(pならばqである)*	*鳥であるならば、卵を産む*
	〈小前提〉	$\neg q$	*(qではない)*	*卵を産まない*
	〈結　論〉	$\therefore \neg p$	*(ゆえに、pではない)*	*ゆえに、鳥ではない*

②は〈小前提〉で仮言命題の前件を肯定しているので**「前件肯定」の混合仮言三段論法**、③は〈小前提〉で仮言命題の後件を否定しているので**「後件否定」の混合仮言三段論法**と言います。この 2 つの推論が常に真である（恒真式）であることはすぐにわかるでしょう。

一方、〈小前提〉が「前件否定」（鳥ではない、ゆえに、卵を産まない）と「後件肯定」（卵を産む、ゆえに、鳥である）の混合仮言三段論法は常に真であるとは限らないので注意を要します。この「前件肯定」と「後件否定」の混合仮言三段論法は、私たちが普段推論する際に頻繁に使用する方法ですので、よく慣れておくことをお薦めします。

なお、定言命題「人間は死ぬ」は仮言命題「もしXが人間ならばXは死ぬ」と翻訳できますから、定言三段論法は仮言三段論法の形に翻訳することができます。

また、仮言命題には興味深い特徴があります。仮言命題「AならばBである」を「正」とすると、「正」命題の前件と後件を入れ替えた「BならばAである」を「逆」と言います。また、「正」命題の前件と後件をともに否定した「AでないならばBではない」を「裏」と言います。そして、「逆」命題の「裏」あるいは「裏」命題の「逆」はともに「BでないならばAではない」となり、これを**「対偶」**と言います。そして、「正」命題が真ならば、「対偶」命題も必ず真になるという特徴があるのです。「鳥であるならば卵を産む」の「対偶」は「卵を産まないならば鳥ではない」ですから、「「正」が真であるならばその「対偶」も常に真になる」という命題は「恒真式」になるのです。

ここで、賢明な読者なら気がついたと思いますが、③の「後件否定」の混合仮言三段論法（「AならばBである」とき「Bでない」なら「Aでない」が成り立つ」）と「対偶」（「AならばBである」が真であるとき「BでないならAでない」も真である）とは同じ構造の「恒真式」になっています。このように、演繹法（三段論法）は、原則として「恒真式」を用いて、真なる前提から真なる結論を必然的に導く推論方法ですから、その妥当性は非常に高くなりますが、結論の内容はすべて前提に含まれていますので、新しい知識を産み出すことはありません。演繹法は知識を深める推論方法であると言えるでしょう。

帰納法と「自然の斉一性」

次に、帰納法について見てみましょう。帰納法とは個別的事象から一般的・普遍的命題を導く推論方法です。たとえば、次のようなものです。

〈前提 1〉　カラスAは黒かった
〈前提 2〉　カラスBは黒かった

〈前提 3〉　カラスCは黒かった
〈結　論〉　ゆえに、すべてのカラスは黒い

〈前提 1〉　一昨日は、太陽は東の山から昇った
〈前提 2〉　昨日も、太陽は東の山から昇った
〈前提 3〉　今日も、太陽は東の山から昇った
〈結　論〉　ゆえに、明日も、太陽は東の山から昇るだろう

２つの推論に共通していることは、「今まで調べた結果はすべてこうだったから、これからもそうなるだろう」という信念です。こうした信念を「自然の斉一性」と言います。しかし、このような「自然の斉一性」に妥当性がないことはすぐにわかるでしょう。今まで調べたカラスがすべて黒かったからと言って、今後、黒くないカラスが発見される可能性は皆無ではありませんし、また、今まで太陽が東の山から昇ったからと言って、明日は太陽が昇らないことも、また西から昇ることもあり得るわけです。にもかかわらず、私たちは「自然の斉一性」を当然のこととして日常生活を送っています。なぜでしょうか。

それは、今まで「自然の斉一性」は問題なく成り立ってきたのだから、これからも真と見なしてよいと漠然と考えているからです。しかし、イギリスのヒュームは、これでは論点を先取りしてしまっており、循環論法に陥っていると指摘します。「自然の斉一性」を説明するのに、「自然の斉一性」を用いているからです。このように帰納法推論には演繹法推論のような論理的妥当性はありません。東日本大震災のように、「自然の斉一性」を覆（くつがえ）すような、今まで想定できなかった巨大な津波が襲ってくることもあるのです。

にもかかわらず、私たちは日常的に帰納法推論を用いています。なぜなら、ひとつには、「自然の斉一性」は演繹法のような論理的妥当性はありませんが、たいていは真である、つまり蓋然的に真である場合が多いので、普段生活する分には、帰納法推論で支障がないからです。そしてもう1つは、帰納法推論によって前提に含まれていなかった新しい知識を獲得することができ、それをこれからの行動に反映させることができるからです。たとえば、私たちがTPO（time, place, occasion）に合わせた行動ができるのは、過去の経験を踏まえた帰納法推論の結果でしょう。また、自然科学は、観察や実験などによって個別的事象のデータを集め、帰納法を用いて、それらに共通した一般的法則や原理を導き出しているのです。

アブダクション（仮説的推論）

帰納法というと、狭義には、今挙げた、多数の個別的な事象から一般的法則を導くという「枚挙的帰納法」を指しますが、広義には、一般的な命題や法則から個別的事象を導く演繹法以外の推論方法を意味します。たとえば、「アブダクション（仮説的推論）」がこれに当たります。「アブダクション」とは次のような推論です。

〈前提 1〉	*Bである（結果）*	*（電車が遅れた）*
〈前提 2〉	*AならばBである*	*（事故が起きると電車は遅れる）*
〈結　論〉	*ゆえに、Aであろう（仮定）*	*（ゆえに、事故が起きたのだろう）*

Bという結果が確認できたとき、それを説明するのにもっとも適切と思われる理由（AならばBである）を考え、そこからAであろうという結論（仮定）を導くという推論方法です。この場合、理由となる〈前提 2〉が一般的法則になりますから、これと〈結論〉を併せて「仮説」と考えられます。そして、自然科学は、個々の実験結果を説明するのに最も適切と考えられる「仮説」を組み立て、その仮説の正当性を再

び実験によって検証するという過程を繰り返して一般的法則を導くわけですから、この「アブダクション」を用いていることになります。

なお、読者の中には、この推論の形が、前に出てきた②の「前件肯定」の混合仮言三段論法の形に似ていることに気づかれた方もいるでしょう。「前件肯定」の混合仮言三段論法では、すでにわかっている「AはBである」という規則を用いて、A（前提）からB（結果）を導いたわけですが、「アブダクション」では、B（結果）から「AはBである」という規則（仮説）を組み立てて、A（前提）を予想するという逆の推論になっています。しかし、ここには論理の飛躍があることがわかるでしょう。「アブダクション」は豊かな発想力が必要であると同時に、その正しさを証明（検証）するのにかなりの労力を要するものなのです。結局、私たちは確実ではあるが新しい知識を産み出さない演繹法と、新しい知識は産み出すが確実性が保証されていない帰納法とを適宜使い分けながら推論を行っていると言うことができるでしょう。

4　推論の実際

ロジカル・シンキング（論理的思考）

さて、私たちはどんなときに、推論を始めるのでしょうか。推論の目的とはいったい何なのでしょう。それは1つには、パズル解きに熱中するときのように、純粋に知的欲求を満足させたい、あるいは推論自体に喜びを感じるということもあるでしょう。アリストテレスは「観想（テオリア）こそ最大の幸福だ」と言いましたが、推論という知的行為そのものが目的である場合もあるでしょう。しかし多くは、生活している中で何か問題が起きたときにそれを解決するためや、あるいは生活をより良いものにするにはどうしたらいいかを考えるときに、いわば必要に迫られて、私たちは「ではどうしたらいいか」と推論を始めるのではないでしょうか。つまり、推論は問題解決や生活改善のための手段（道具）としての役割を果たしているのです。

近年、ビジネスの世界では問題解決の手段として「ロジカル・シンキング（論理的思考）」という言葉がよく聞かれます。それによると、「問題」とは「現状とあるべき状態とのギャップ」であり、「解決」とは「そのギャップを埋めること」と定義されます。つまり、問題解決のための一連のプロセスは、企業の業績が思うように上がらない場合、その企業がかかえている問題点を洗い出し、その本質的原因を突き止めることによって課題化し、解決策の基本方針を策定し、それを実行することによって業績改善を図るというものです。その問題解決の手段として、「ロジカル・シンキング」という推論方法を用いるのです。そして、この「ロジカル・シンキング」は何か特別な推論方法ではなくて、私たちが今まで見てきた「演繹法」と「帰納法」をより実用化したものにすぎません。論理的整合性よりも実際的な効果（企業利益）を優先しますから、多少論理に飛躍があっても結果がよければ受け入れるという傾向があります。この点、数学や自然科学の推論のような厳密さを必要としないので、私たちが日常行っている推論に近いと言えるでしょう。

論理学と因果関係

私たちの日常的な推論と今まで見てきた論理学における推論との最も大きな相違点は、原因と結果の関係すなわち因果関係に関するものでしょう。論理結合子の条件（仮言）記号→を用いたｐ→ｑ（ｐならばｑである）という仮言命題を説明したときに、「明日晴れたならば、私はドライブに行く」という命題を例に挙げました。この命題の真理値は、前件である「明日（当日）は晴れた」が真で、後件である「私はドライブに行った」が真であれば真で、後件が偽であるなら偽でした。そして、前件が偽の場合、つまり「当日は晴れなかった」場合は、後件の真偽にかかわらず真と見なすというのが仮言命題の「定義」でした。また、「この薬を飲めば、感染症が治る」という命題についても、仮言命題は連言や選言命題に翻訳することができるので、前件と後件の関係は必ずしも時間的な前後関係とは限らないと言いました。「この薬を飲めば、感染症が治る」という命題は、「薬を飲んだ」と「感染症が治った」がともに真であれば真であり、「薬を飲んだ」が真で「感染症が治った」が偽であれば偽です。そして、「薬を飲んだ」が偽であれば、「感染症が治っても、治らなくても」真であると見なすのです。つまり、論理学では、仮言命題ｐ→ｑは、「因果関係」とは直接関係ないのです。演繹法推論である仮言三段論法は、仮言命題の前件を「前提」、後件を「結論」に変えた構造になっていますが、同じように「前提」と「結論」の関係は「因果関係」を意味しているわけではないのです。このことは帰納法においても変わりません。帰納法は「今まで調べた結果はすべてこうだったから、これからもそうなるだろう」という信念すなわち「自然の斉一性」を前提にした推論ですが、そこに因果関係があるわけではありません。今日太陽が東の山から昇ったことが原因で、明日もそうなるという結果を産み出すわけではないのです。また、「アブダクション」も因果関係を前提にしているわけではなくて、うまく説明がつくならばどのような仮説を立てても構わないのです。つまり、論理学における推論は、前提と結論との間に因果関係を見出そうとしているのではなく、前提から結論を矛盾なく導くことを目指しているのです。

実際の推論…交通事故の原因

ところが、私たちが普通推論を始めるのは、ある出来事が起きたときに「なぜそうなったのか」という理由や原因を考える場合が多いのではないでしょうか。たとえば、交通事故について考えてみましょう。私は今商談のため約束の場所に車で向かっています。道路が渋滞しているため、時間に遅れるのではないかと少々あせっています。時計を見ようとしたまさにそのとき、前の車が急停車し、私はブレーキを踏みましたが間に合わず、追突してしまいました。典型的な追突事故です。ではこの事故の原因は何だったのでしょう。それははっきりしています。私の前方不注意です。それがこの事故の原因であることは当事者の私が一番よく知っています。ここには明確な「因果関係」が存在しています。

では、今度は同様の交通事故を第三者の目で見てみましょう。前提として、私はこの事故を目撃していなかったとします。事故後に駆け付けた警察官の立場を考えればいいでしょう。まず最初に考えなくてはならないのは、追突した側と追突された側のどちらに原因があったかです。あおり行為があって追突された車が急ブレーキをかけたことが原因ということもあり得るわけです。あおり運転はなかったとすれば、追突した側に問題があることになります。その場合、原因は自動車にあったのか運転手にあったのかを考えなければなりません。もしブレーキが正常に作動しなかったとすれば、車の構造上の欠陥や整備上の不備が考えられます。構造上の欠陥ということになれば、自動車メーカーの責任が問われることになります。車の機能に問題がなければ、運転手の責任ということになります。しかし、ここで推論が終わるわけではありません。運転手の意識状態はどうだったかを調べる必要があるでしょう。酒気帯びではなかったか、風邪薬は飲んでいなかったか、急に意識がなくなるような持病はなかったか。もし、風邪薬を飲んだために眠気を催したのだとすれば、眠くなることがわかっていたかどうかが問題になります。薬の説明書にそのことが書かれていなければ製薬会社の責任ということも考えられます。

さらに、運転手の前方不注意が事故の直接の原因だとしても、その人の勤務時間がどうなっていたかも調べる必要があるでしょう。過剰な残業が続いていたとすれば会社の労務管理が問題となりますし、もし、商談の時間に遅れたら上司から何をされるかわからないという恐怖心があったのだとすれば、パワハラの可能性も考えなければなりません。このように、私自身が事故を起こした当事者だったり、事故を目撃していれば、何が原因であるかは比較的わかりやすいのですが、そうでない場合は、原因を特定することはそれほど簡単ではないのです。原因は１つではなく複数のこともありますし、またどこまでたどればいいのかわかりにくい場合もあります。さらに、原因と結果が同時に存在しているような場合には、どちらが原因でどちらが結果であるのかを判断するのが難しいこともあるでしょう。生徒が自殺したケースでは、いじめがあったかどうかが問題になりますが、いじめが自殺の原因かどうかを特定するのは非常に難しいことなのです。ただ、はっきり言えることは、私たちは或る出来事が起きたとき、何が原因であるかはわからなくても、何らかの原因があったことだけは疑わないということです。これは、私たちがもつ信念のうちで最も強いものでしょう。

5　因果関係

ヒューム…因果関係の否定

ある出来事には必ず原因があるという因果関係に対する信念に懐疑の目を向けたのが、先ほど名前が出てきたヒュームです。彼は因果関係にとって本質的であるのは、「接近」と「連続（継起）」と「必然的結合（絆）」の３つであると言います。つまり、私たちが出来事ＡとＢについて因果関係を認めるのは、まず、ＡとＢとが空間的に「接近」していること、次に、時間的にもＡが起きてそれに「連続（継起）」してＢが起きること、そして最後に、ＡがＢに対して何らかの力を及ぼすとか、Ａの或る性質がＢの状態に影響を与えるといった「必然的結合（絆）」が存在すること、この３つの条件が確認できたときなのです。ところが、ヒュームは「必然的結合（絆）」が存在することを確認（経験）するのは不可能だと言います。私たちが「必然的結合（絆）」と考えているのは、実は、「Ａが起きるときにはいつもＢが伴って起きる」という「恒常的な相伴」のことなのです。この「恒常的な相伴」によって、Ａという出来事（ヒュームはこれを「観念」と考えます）とＢという出来事（「観念」）がいつも一緒に生じると、一方が現れると他方が連想的に現れるという「習慣」が形成されることになります。この「習慣」を私たちは特別な「必然的結合（絆）」と錯覚してしまうのです。ヒュームは言います、「この結合、絆、あるいは勢力が実はただわれわれ自身のうちにあるにすぎないこと、つまり、習慣によって身に着けた心の規定、ある対象からいつもそれに伴うものへ、１つの対象の印象から他の対象の生き生きとした観念へとわれわれを移行させるようにする心の規定にほかならぬことを学び知るとき、どんなに失望せねばならぬことか」（『人性論』）。

因果関係は存在する

ヒュームにとって、因果関係は「習慣によって身に着けた心の規定」にすぎず、「必然性は心の中に存在する何ものかであって、対象の中にあるのではない」のです。あなたはこの結論を受け入れられますか。私はこの結論は間違っていると思います。前章で「存在するもの」について考察したとき、私は観念と存在が現れる場所を「頭の中（観念）」と「頭の外（存在）」に区別しました。さらに、「頭の外（存在）」を「感覚的世界」と「超感覚的世界」に分け、「感覚的世界」には「もの（物質）」が、また「超感覚的世界」には「もの（イデア）」と「こと（関係、法則）」が存在することを示しました。この分類からすれば、因果関係は、「頭の外」の「超感覚的世界」において「関係」として存在していることになります。決してたんに「心（頭）の中」にしか存在しない「観念（想像物）」ではないのです。ただし、「対象の中」という場合は、注意を要します。この「対象」が「感覚的世界」の「もの（物質）」を指しているのなら、私も因果関係は「もの（物質）」の中にないことは認めます。しかし、太陽と地球という「物質」が「感覚的世界」にあるのに対して、「太陽と地球との距離」は「超感覚的世界」にあったように、因果関係は「感覚的世界」に重なって存在している「超感覚的世界」に確かに存在するのです。たんなる「習慣によって身に着けた心の規定」ではないのです。

自然現象…原因・結果・必然的結合（絆）

ヒュームと私の考え方の違いについて、「炎」と「熱さ」を例に挙げて比較してみましょう。ヒュームの説明はこうです。私たちは「炎」を見るといつも「接近」と「継起」の一定の在り方を保ちつつ「熱さ」を感じます。このように「炎」と「熱さ」の間には「恒常的な相伴」が認められます。この経験が繰り返され「習慣」となったとき、私たちは「炎」を「原因」、「熱さ」を「結果」と呼び、一方の存在から他方の存在を推理するのです。このように因果関係は「習慣によって身に着けた心の規定」にすぎないのです。したがって、原因が結果に対して何らかの力を及ぼすとか、原因の或る性質が結果に影響を与えるといった「必然的結合（絆）」は存在しない、ということになります。

私は「炎」と「熱さ」の間には「必然的結合（絆）」が存在すると考えます。今、私が焚火（たきび）の「炎」に手をかざしているとします。「熱さ」は私の手に伝わってきます。このとき「炎」と「熱さ」の間に何が起きているのでしょうか。炎の表面温度と私の手の表面温度を比較すれば、炎の表面温度の方が当然高いでしょう。そして、自然界には「熱は高温のものから低温のものに移動し、その逆はない」という法則が成り立ちます。これを「熱力学第二法則」と言います。つまり、「炎」に手をかざすと「熱さ」を感じたのは、「熱力学第二法則」という「必然的結合（絆）」が存在するからなのです。では、これで問題は解決したのでしょうか。そうではありません。「炎」と「熱さ」と「熱力学第二法則」とがいかなる関係にあるかを考えてみなければなりません。何が「原因」で何が「結果」であるのか改めて考える必要があるのです。

「結果」は「手に熱さを感じた」でいいでしょう。では「原因」は何でしょう。「炎」でしょうか「熱力学第二法則」でしょうか。ここで、「熱力学第二法則」を「原因」と考えるのは正しくありません。「熱力学第二法則」は「原因」と「結果」を結びつける「必然的結合（絆）」であって、「原因」ではありません。では、「原因」はやはり「炎」なのでしょうか。私は「炎に手を近づけること」が「原因」だと考えます。「炎」は視覚の表象であり、手に感じる「熱さ」は皮膚感覚の表象です。視覚の表象と皮膚感覚の表象とでは種類が異なるので、「必然的結合（絆）」が直接的には感じられないのです。そこで、ヒュームは、因果関係の根拠を２つの異なる種類の観念の「恒常的な相伴」や「習慣」に求めることになったのです。しかし、「炎」はこれを視覚の表象ではなく「熱源」と考えるならば､「熱さ」の「原因」だと言えるでしょう。したがって､この場合の因果関係は正確にはこうなるでしょう。｢熱源である炎に手を近づける（原因）と、手に熱さを感じる（結果）のは、「熱は高温のものから低温のものに移動し、その逆はない」という法則（必然的結合）が存在するからである」。

「因果的必然性」という信念

「炎」と「熱さ」の関係は自然現象でした。自然現象は原因と結果を適切に設定すれば、その間にある「必然的結合（絆）」つまり自然法則に基づいて原因から結果を正しく導くことができるのです。この導出は、演繹法推論の「前件肯定」の混合仮言三段論法と同じ形をしています。

〈大前提〉　p→q　（pならばqである）　（必然的結合＝自然法則）
〈小前提〉　p　（pである）　（原因）
〈結　論〉　∴q　（ゆえに、qである）　（結果）

この構造を見出すことが因果関係を認識することになるのです。もちろん〈大前提〉である自然法則はすぐに見つかるわけではなく、帰納法推論である「アブダクション」によってまずは「仮説」として設定されなければなりません。そして、その正当性を観察や実験によって検証することになるのです。確かにこれは困難な作業ですが、私たちはごく普通に自然界は自然法則に基づく「因果的必然性」によって支配されていると信じているのではないでしょうか。20世紀以降の量子理論などによって、その確実性は疑問視されていますが、この素朴な信念は21世紀の現代においても変わっていないように思います。

本質的原因…裁判員と企業人

しかし、この自然現象に人間（意志）が関係してくると、因果関係は一気に複雑になってきます。奇妙な設定ですが、次のような状況を考えてみてください。Ａさんがビルの屋上にいて、鉄球を持っています。ビルの下ではＢさんが通りかかりました。Ａさんは昨日Ｃさんから、Ｂさんに向かって鉄球を落とすよう命令され、命令に従わなければ家族に危害を加えると脅迫されました。Ｂさんが真下に来たとき、Ａさんは鉄球を離し、鉄球はＢさんに当たってＢさんはケガをしました。この状況での因果関係はどのようなものでしょうか。まず、結果は「Ｂさんがケガをした」です。ここから原因をたどっていきましょう（矢印の向きは、結果←原因を表します）。「Ｂさんがケガをした」←①←「鉄球がＢさんに当たった」←②←「Ａさんが鉄球を持っていた手を離した」←③←「Ａさんの脳が手に命令を出した（Ａさんは鉄球を手放すことを意思決定した）」←④←「昨日ＣさんがＡさんを脅迫した」。

「Ｂさんがケガをした」直接の原因は「鉄球がＢさんに当たった」からですが、因果関係①は「運動の法則」、②は「重力（万有引力）の法則」、③は「神経細胞の電気信号」という「必然的結合（絆）」に基づくものであり、「因果的必然性」です。「因果的必然性」においては、それ以外の選択肢はありえないわけですから、Ｂさんがケガをしたのは、実質的には「Ａさんが鉄球を手放すことを意思決定した」からということになります。つまり、Ａさんがこの事件の実行犯（正犯）です。しかし、ＡさんはＣさんから、命令に従わなければ家族に危害を加えると脅迫（刑法ではこれを「教唆（きょうさ）」といいます）されていたのですから、仕方なく実行したわけで、本当の犯人は実際には手を下してはいませんがCさんではないのか（「教唆犯」）とも考えられます。問題は、「Cさんの脅迫」と「Aさんの意思決定」との間の因果関係の「必然的結合（絆）」をどう考えるかです。Cさんの命令は、決して抗うことができない自然法則のような強制力をもっていたのでしょうか。Aさんは Cさんの命令に従うほかに選択の余地はなかったのでしょうか。脅迫されてから犯行までには時間があったわけですから、家族の安否を確かめるとか、誰かに相談するとか、何かしら犯行を回避するような方法はなかったのでしょうか。

AさんとCさんとどちらを「本質的原因」と考えるかは推論する人によって違ってくるでしょう。つまり、どちらの責任がより重いかは判断する人によって違ってくるのです。ある人は次のように考えるでしょう。実行犯はAさんなのだから、いくら脅迫されたとはいえ、Aさんの責任の方が重いのではないか。Cさんが家族に危害を加えると言ったのはただ言っただけであり、実際に危害を加えることができるかどうかはわからない。また、犯行現場にはCさんはいなかったのだから、Aさんは自分の意志で鉄球を落下させたのだ。別の人はこう考えるでしょう。Cさんの責任の方が重い。そもそもCさんの教唆がなかったら、Aさんが犯行に及ぶことはなかった。確かに、Cさんは犯行現場にいなかったが、Cさんは実際にAさんの家族に危害を加える実力をもっており、Cさんの脅迫はAさんの行動を完全に支配していた。このような推論がまったくの机上の空論ではないことは、おわかりいただけると思います。もし、あなたが「裁判員」に選ばれたとしたら、実際に「本質的原因」（これを「真実」と呼んでもいいでしょう）を求めて、このような推論をすることになるかもしれないのです。そして、あなたの判断が被疑者の有罪か無罪、量刑に影響してくるのです。

「本質的原因」を求めるということは、「裁判員」に限らず、「企業人」にとっても切実な問題です。企業が営業不振であえいでいるとき、その企業がかかえている問題点を洗い出し、営業不振の「本質的原因」を突き止めることは、業績改善を図るためには是非とも必要なことでしょう。まさに生活がかかっているのです。しかし、「裁判員」と「企業人」とでは、「本質的原因」のもつ意味合いが違うように思います。その違いとは、「裁判員」が最終的に求めるのは「完全なる真実」であり、「企業人」が求めるのは「業績改善のための基本方針と具体的施策」だということです。つまり、「裁判員」の関心は過去に、「企業人」の関心は未来にあるということなのです。

推論の基本的規則…論理学

裁判、特に刑事裁判が目指すのは、過去に起きた犯罪の「真実」つまり因果関係の詳細をできるだけ忠実に再現し、責任の所在を明らかにすることです。したがって、できるだけ厳密な推論が求められます。たとえて言えば、「炎」と「熱さ」との因果関係を、２つの観念の「恒常的な相伴」という弱い結合として捉えるのではなく、「熱力学第二法則」のような「必然的結合（絆）」まで掘り下げて「真実」に迫ろうとするのです。これに対して、企業人が営業不振の「本質的原因」を求めるのは、過去の事実関係を忠実に再現するためではありません。そもそも「本質的原因」は様々な要因がからまって形成されたものであり、しかも、企業は現在もなおそのような問題点を抱えた環境の中で活動しているのです。そうした状況にあっては、「炎」と「熱さ」との因果関係を、「熱力学第二法則」のような「必然的結合（絆）」まで掘り下げて明らかにする必要はないでしょう。現象面において、「恒常的な相伴」が確実に確認できるのなら、それに基づいて「改革案」を作成し、早く実施に移すことを優先すべきでしょう。「真実」までたどり着かないと、第一歩を踏み出せないとすれば、企業は倒産してしまうでしょう。

ヒュームの、因果関係は２つの観念の「恒常的な相伴」に基づくという考え方は、実は論理学の基本的な考え方でもあります。論理学においては、仮言命題の前件と後件は必ずしも原因と結果を意味するわけではないのです。「この薬を飲んだら、感染症が治った」という命題が真であるのは、「この薬を飲んだ」と「感染症が治った」がともに真であれば真、つまり、２つの出来事の「恒常的な相伴」が認められれば真なのであって、この薬のどのような成分が感染症に効果があるのかという「必然的結合（絆）」まで言及しているわけではないのです。それを究明するのは論理学ではなく、自然科学の仕事でしょう。ヒュームは、科学者としてではなく哲学者として因果関係を語っているのです。

正しい知識も同じであって、正しく思考することに普遍的モデルがあるわけではありません。刑事裁判が求めるのは「完全なる真実」であり、企業人が求めるのは「業績改善のための改革案」です。求めるものが違えば、当然思考の仕方も違ってきます。ただ、推論の基本はそれほど変わりません。「Ａであって同時にＡでないことはありえない」（矛盾律）、「Ａであるかまたは Ａでないかのいずれかである」（排中律）、「「ＡならばＢである」とすると、「ＢでないならばＡではない」が成り立つ」（対偶あるいは「後件否定」の混合仮言三段論法）などの「恒真式（トートロジー）」は、求めるものが何であっても、正しい推論を行うための基本的な規則なのです。

6　哲学で推理力を鍛える

自ら考え、理論を組み立てる

私たちは日々何らかの推論をしています。学校や会社に遅刻しないように着くためには、何時に起きて、何時に電車に乗って…と推論していきます。急に電車が止まったりすれば、慌てて別の手段を推論しなければなりません。冷蔵庫にある食材を見て作れる料理を推論します。成績が伸びないことを気にして、どうしたら成績が伸びるかを推論します。ある仕事を能率よく遂行するには、まず何をして、次に何をして、…と推論していきます。「裁判員」に選ばれることもあるでしょうし、「業績改善のための改革案」の作成を任されることもあるでしょう。その場合には、その目的に合った推論をしなければなりません。

いずれにせよ、推論を能率よく的確に行うためにはやはり訓練が必要です。基本的な論理学の規則は覚えておく必要があるでしょうし、数学の問題を解いたり、推理小説やパズルの謎解きも推理力を鍛えるにはよい方法でしょう。そのような推理力を鍛える方法として、私は特に「哲学する」ことをお薦めします。本書をここまで読み進めてきた読者は、精神のはたらきや認識について、また、存在するものについて考えてきたはずです。しかし、考えたと言っても、多くの人は私の考えを聞いた（読んだ）だけではないでしょうか。私は皆さんに、私の考えを聞く（読む）ことをきっかけとして是非ご自分で考えてほしいと強く願っています。皆さんは、本書を今まで読んできた中で、これは賛成できるとか、これは受け入れられないとか思われたでしょう。特に受け入れられないと思われたのなら、自分はこう思うという理論を組み立ててほしいのです。これらの問題を自ら考え、理論を組み立てることが「哲学する」ことであり、これらの問題に自分なりの答えを出そうと努力することによって、推論の能力が鍛えられるのです。

人は哲学を学ぶことはできない、哲学することを学ぶだけである

人はなぜ「哲学する」のでしょうか。それは自分なりの世界観や人生観を構築するためでしょう。哲学の問題群は、「私とは何者か」「知るとはどういうことか」「世界はどのようにあるか」「存在するとはいかなることか」「善く生きるとはどういうことか」など多岐にわたっています。これらの問題に自分なりの答えを出したいと思ったから、皆さんは本書を手に取ったのでしょう。確かに、本書には「哲学入門」という表題がついています。しかし、そもそも哲学には「入門書」など存在しないのかもしれません。数学や科学であれば、ある特定の対象についての多くの理論を体系化した知識の集合があり、その理論構築のための方法論も確立しています。したがって、その知識についての基本的事項だけを集めれば、「〇〇学の入門書」が出来上がります。初心者は、その「入門書」によって「〇〇学」の基礎を学ぶことができるわけです。しかし、哲学にはそもそもそのような「基礎」などありません。哲学の問題には、これが基礎的な答え方でこれが応用的な答え方だというようなものはないのです。その意味で、カントの「人は哲学を学ぶことはできない、哲学することを学ぶだけである」(『純粋理性批判』)という言葉は、哲学の本質をうまく言い当てています。哲学には論理的に推論する以外に、こう考えなければならないという制約はないのです。どのような見解であれ、その人が真剣に考えて出した答えであるなら、すべて立派な「哲学的理論」なのです。私は学問の中で、哲学が誰もが取り組むことができる最も自由な学問であると考えています。

とはいえ、これらの問題群を考えるうえで、先人たちはどのように考えたかを見ておくことは無駄ではないでしょう。先人たちが書いた哲学書や哲学史に関する書物などは、必ず参考になるはずです。その場合に、忘れてならないのが「批判的視点」です。何事も鵜呑みにすることなく、常に懐疑の念をもって読み進めることです。たいていの哲学書は難解なものが多く、完全に理解するのは難しいでしょうが、その中にも、印象に残る、共感できる言葉がいくつかあるはずです。その、あなたが理解でき、共感できる部分だけを自分の理論に取り入れていけばいいのです。とはいえ、自分なりの哲学、自分なりの世界観や人生観を構築することは簡単なことではありません。しかし、それに向かって努力することが重要なのです。たとえ、自分なりの哲学を構築できなくても、「哲学する」ことによって、自分の思索の傾向を知ることができ、「自己理解」につながるのです。そして、自己理解は必ずあなたに「自信」を与えてくれるでしょう。あなたは自分が何者であるかを知っているのですから。

未来に向けての行動の指針…倫理学

哲学の問題群の多くは、確定している過去あるいは現在の「真実」を忠実に再現する刑事裁判のような厳密な推論方法が求められます。第１章では私たちの精神のはたらきについての、第２章では存在するものについての、第３章では正しい知識についての「真実」を探求してきました。しかし、哲学の問題のなかには「善く生きるとはどういうことか」などのように、未来に向けての行動の指針を推論するものもあります。むしろ、私たちの日常生活においては、未来に向けてどう行動するかを決定することが最大の関心事でしょう。行動を決定する際には、私たちはたいていいくつかの選択肢の中から自分が最適であると思うものを選んでいます。つまり、私たちは、自分の価値観に基づいて行動を選択しているのです。しかし、行為によっては、自由な選択が許されないものがあります。たとえば、他人の所有物を盗むとか、嘘をつくといった行為がそれに当たります。これらの行為は「…すべきでない」や「…すべきである」といった制約を受けています。このような制約を哲学では「当為」と言います。「当為」は「存在（…である）」に対して「実現すべき理想の状態」を意味しています。この「当為」を社会規範として捉えたものが「道徳」や「倫理」です。次章においては、「倫理学」つまり「私たちはいかに生きるべきか」について考えてみたいと思います。

参考文献

・末木剛博『論理学概論［第２版］』（東京大学出版会、1975）
・金久保正明「記号論理」：静岡理工科大学情報学部コンピュータシステム学科・知能インタラクション研究室
〈https://www.sist.ac.jp/~kanakubo/research/reasoning.html〉（2020/3）
・「演繹法推論」：「論理思考テキスト講座」ロジカルシンキング研修 .com
〈https://www.ltkennsyu.com/logicalthinking/1-1/1-2.html〉（2020/3）
・S・オカーシャ『科学哲学』（廣瀬覚訳、岩波書店、2012）
・ヒューム『人性論』（土岐邦夫・小西嘉四郎訳、中公クラシックス、2017）

第４章　道徳と幸福

1　意志（意思決定）の２つの過程

高校の「倫理・社会」と「倫理」

本章で扱うのは、哲学のうちの実践的分野である倫理学です。「人間はいかに生きるべきか」「善く生きるとはどのようなことか」という問いは、洋の東西を問わず、知識人にとって中心的なテーマでした。高校の「倫理・社会」にしても「倫理」にしても、その名前のとおり倫理学の領域に多くの時間が割かれています。これらの科目の教科書は共通して、古代ギリシア、キリスト教、仏教、儒教などの世界の倫理思想を概観した後、西洋近代哲学の倫理としてカントの道徳哲学とイギリスの功利主義を対照的に扱っています。特に、カントの道徳哲学には、他の思想家に比べて圧倒的に多くの頁数が割かれており、この科目の最大の山場であることがわかると思います。私も授業をしていたとき、この単元になると自然と力が入り、他の動物には見られない「人間の尊厳」について熱く語ったように記憶しています。道徳は普遍的法則であるというカントの倫理思想は、潔癖さをよしとする思春期の高校生にとって受け入れやすい傾向があるのかもしれません。もう少し大人になるとカントの思想はやや融通性に欠けるのではないかと思ったりするのですが。

カントの道徳哲学は次の言葉で象徴されます。「君は、君の格率（主観的規則）が普遍的法則となることを欲し得るような格率に従ってのみ行為しなさい」（『道徳形而上学原論』）。これは、「あなたが立てる規則は誰もが正しいと認める普遍的法則として通用しますか、そのような規則を立てて行動しなさい」ということです。たとえば、もしあなたが「不誠実な相手には嘘をついてもよい」という規則を立てたとします。確かに、その相手があなたをだましそうな不誠実な人間であるなら、こちらも嘘をついてもいいのではないか、そう思うのは自然なことのように思われます。しかしそのとき、カントはあなたに問うのです。「その規則は本当に普遍的法則として通用しますか」と。こう問われると、私たちはどきっとしてしまい、「はい、そうです」とすぐには答えられないでしょう。たとえ、相手が不誠実だからといってこちらが嘘をついてもいいというのは、どこか後ろめたさを感じてしまうからです。ここに、カント道徳哲学の抗（あらが）いがたい「凄（すご）み」があります。

一方、功利主義を唱えたベンサムは次のように言っています。「自然は人類を苦痛と快楽という、２人の主権者の支配のもとに置いてきた。…功利性の原理はそのような［苦痛と快楽への］服従を承認して、そのような服従をその思想体系の基礎と考えるのである」「功利性の原理とは、その利益が問題になっている人々の幸福を促進するように見えるか、それともその幸福に対立するように見えるかによって、すべての行為を是認し、または否認する原理を意味する」（『道徳および立法の諸原理序説』）。つまり、功利性の原理とは「私たちの幸福を促進する（私たちに快楽をもたらす）行為は善であり、私たちの幸福に対立する（私たちに苦痛をもたらす）行為は悪である」という非常に明快な原理なのです。しかし、多くの人が「快楽」という言葉に抵抗感を抱くのも事実でしょう。性欲や食欲はそれそのものとしては「悪」ではありませんが、それらがもたらす「快楽」が道徳的価値としての

「善」であると正面切って言うのには、多くの人はためらいを感じてしまうのです。ここには、カント道徳哲学に対するのと反対の心理が働いています。快楽を求めることは誰も悪だとは思わないのに、それを公言することには何となく後ろめたさを感じてしまうのです。逆に、それを公言したところにベンサムの「したたかさ」があるのかもしれません。

意志（意思決定）の２つの過程

道徳や倫理は私たちの「意志」と密接な関係をもっていますが、私は「第１章　精神のはたらき」「4　意志」で、現在の認知科学や脳科学においては、そもそも「意志」という言葉がほとんど使われておらず、精神が何らかの判断を下すことは「意思決定」と呼ばれると言いました。またそのとき、「意志」についてのわが国の代表的な２つの辞典（「広辞苑」と「大辞林」）の記述を紹介しました。両辞典とも意志が「道徳的価値評価の主体・原因」である点は共通しているのですが、広辞苑では「理性による思慮・選択を決心して実行する能力」、大辞林では「ある目的を実現するために自発的で意識的な行動を生起させる内的意欲」となっていました。つまり、広辞苑では意志は思考・判断などの知性（理性）と結びついていると解釈されており、大辞林では意欲つまり欲求や欲望などと同じく感情（情動）と結びついていると解釈されていたのです。ここから、意志は知性（理性）に由来するという解釈と、感情（情動）に由来するという解釈と２通りがあることが見えてきました。

続けて、私は脳科学における坂上・山本論文（坂上雅道、山本愛実「意思決定の脳メカニズム―顕在的判断と潜在的判断―」（科学哲学 42-2（2009））を参照しながら、脳において意思決定の活動が見られる部位が、大脳基底核の尾状核（線条体の一部）と前頭前野内側部を中心とする２つの領域であること、そして、大脳基底核は意思決定の潜在的（無意識的）な選択過程に、また前頭前野内側部は先の潜在的（無意識的）な選択を受けて顕在的（意識的）に理由付けを行う過程にそれぞれ関係していると述べました。このように私たちの意思決定においては、意識的・自覚的な過程（回路）と無意識的な過程（回路）が別々に存在していることが明らかになったのです。さらに、坂上・山本論文は、潜在的過程が下した結論を顕在的過程が受け取り、それをあたかも顕在的過程の「思考」の結果のように捉えることがあることも指摘していました。つまり、私たちの意思決定には、もともとは大脳基底核の潜在的（無意識的）な過程に由来しそれを顕在化（意識化）したものと、先の潜在的（無意識的）な選択を受けて前頭前野内側部が顕在的（意識的）に理由付けを行う過程の２つの回路が存在していることが確認されたのです。

さらに、坂上・山本は「モデルフリーシステム」と「モデルベースシステム」に言及していました。「モデルフリーシステム」は、事象と報酬の関係を確率的（自動的）にコード化したものであり、このシステムは大脳基底核を中心とした神経回路によって実現されていました。一方、「モデルベースシステム」は、事象と報酬の関係を「内部モデル」を形成することでコード化したもので、このシステムでは前頭前野を中心とする大脳皮質内の回路が重要な役割を果たしており、顕在的（意識的）な意思決定と密接な関係があるとされました。こうして、坂上・山本は、私たちの意思決定は「モデルフリーシステム＝潜在的（無意識的）過程＝大脳基底核」と「モデルベースシステム＝顕在的（意識的）過程＝前頭前野」の協調と競合によって成り立っていると結論づけたのでした。

大脳基底核は感情（情動）を司る大脳辺縁系よりもさらに内奥にあり、脳幹を囲む位置にあるため、その機能が明らかになってきたのは最近のことです。これには、fMRI（機能的磁気共鳴画像法）などの脳活動計測装置の開発が大きく貢献しています。大脳基底核が意思決定を司る主要な器官だとされるのは、この部位が報酬（価値）の評価と深くかかわっているからです。私たちは意思決定する際、無意識のうちにより多くの報酬（価値）が得られる行動を選択しているのです。ところで、大脳基底核も大脳辺縁系も大脳の一部ではありますが、ヒトの最も進化した最終脳である新皮質とは区別される古い脳（本能）と関係が深い部位です。したがって、大脳基底核における報酬（価値）の評価と感情（情動）を司る大脳辺縁系における快・不快の判断とが密接に関係していることは十分に想像できるでしょう。そこで私は、あえて意思決定は知性（理性）による意識的過程と感情（情動）による無意識的過程との協調と競合の上に成り立っていると主張したのです。

カント道徳哲学と功利主義

私はカント道徳哲学と功利主義について、どちらが正しくてどちらが間違っているかなどと言うつもりはありません。むしろ、最近の脳科学の研究で意志（意思決定）の２つの過程としてどちらも正しいことが証明されたと考えています。「私たちに快楽をもたらす行為は善であり、私たちに苦痛をもたらす行為は悪である」という功利性の原理は、私たちはより多くの報酬を求めて行動選択するという意思決定の最も基本的な過程すなわち「本能」に由来するものであり、その決定はもともとはスピィーデーに直接的・無意識的に行われますが、知性（理性）はこの感情（情動）的な過程を自覚的・意識的に捉えることができるのです。私はこのような感情（情動）的な意思決定過程を意識化したものが功利主義であると考えています。

一方、カントの道徳哲学は、前頭前野が飛躍的に発達した私たち（霊長類ヒト科）に相応しい知性（理性）が前面に出た意思決定の過程であると考えられます。坂上・山本は「ヒトの意思決定の特徴は、目先の小さな報酬にとらわれず将来のより大きな報酬を得るための行動を選択できることにある。そのためには、「内部モデル」を使って、一見関係ないように見える事象と報酬の関係が類推できなければならない」と述べていました。カントは意思決定の根底に報酬への欲求があることは否定するでしょうが、利己的な欲求を抑えて普遍的な道徳法則に従うことを説くカントの道徳哲学は、自覚的・意識的に「内部モデル」を構成して、それを行動の指針とする非常に知性（理性）的な意思決定過程であると考えられるのです。

さらに補足すれば、私は「第２章　存在するもの」「5　存在の分類」で、道徳（倫理）には、「超感覚的なもの（法則・義務など）」の側面を強調するものと、「感覚的なもの＝価値（善・幸福・正義など）」の側面を強調するものとの二系統がある。前者を代表するのがカントの道徳哲学であり、後者を代表するのが功利主義である、と述べましたが､カントの道徳哲学は「超感覚的世界」に生きる人の倫理であり、功利主義は「感覚的世界」に生きる人の倫理であると言えるかもしれません。なお、ラッセルはこの２つの世界のどちらを好むかはその人の気質によるとし、どちらも本物であり、分け隔てなく平等に注目すべきだと言っていました。

とは言え、現実には先ほども触れたように、カントの道徳哲学の方が功利主義よりも高尚な倫理学であると思われているというのが実態でしょう。特に、わが国の高校の「倫理」の教科書では、功利主義に比べてカント道徳哲学に圧倒的に多くの頁数が割かれており、これを学んだ生徒たちは、幸福を追求するよりも道徳法則に従って生きることの方が倫理的に正しいという印象を自然にもつようになるでしょう。このような扱いの差は、功利主義よりもカント道徳哲学の方が、個人の幸福よりも社会秩序を重んじるわが国の伝統的な儒教道徳と共通点が多いと考えられているからでしょう。高校の「倫理」という科目が小中学校の「道徳」とともに戦前の道徳教育の中心的教科だった「修身」の系譜を受け継いでいることは紛れもない事実です。しかし、社会規範としての「倫理」や「道徳」も時代や社会の変化とともに変わっていくというのも紛れもない事実でしょう。現代には現代に相応しい「倫理」や「道徳」があるのです。

現代における倫理学の役割…「決疑論」

私は本章で、まず、カント道徳哲学と功利主義の主張をできるだけ客観的に考察して、それぞれの優れている点と問題点とをできるだけ中立的な立場で指摘してみたいと思います。具体的には、カントの『道徳形而上学原論』（1785 年）とベンサムの『道徳および立法の諸原理序説』（1789 年）および J・S・ミルの『功利主義論』（1861 年）の 3 冊をテキストとしてその内容を検討していきます。この作業によって明らかになるのは、18 ～ 19 世紀にかけての倫理学は、道徳の起源や原理を明確にするという基礎理論が中心であるということです。両学派ともに、基本的には「人間はいかに生きるべきか」「善く生きるとはどのようなことか」という伝統的ではあるが抽象的なテーマが研究の中心だったということです。

ところが、20 世紀末から今世紀にかけての、バイオテクノロジーの発達や情報通信技術（インターネット、スマートフォンなど）の急速な普及によって、私たちを取り巻く社会環境は大きく変化しました。そのため、私たちは今まで人類が経験したことのないような様々な倫理的課題に直面することになりました。このような時代にあっては、倫理学に求められるのは、道徳の起源や原理ではなく、個々の実践的な事例においてどこまでが正しく（許され）、どこからが正しくない（許されない）かを判定する具体的な基準を提示することです。このような倫理的な課題に対して具体的な基準（解決策）を用意することを中世スコラ哲学では、「決疑論（casuistry）」と呼んでいました。現代の倫理学にはこの「決疑論」の性格が強く求められることとなったのです。

このような「決疑論」の例として「トロッコ問題」という思考実験が挙げられます。これは、暴走する「トロッコ（路面電車）」が進路方向を変えずそのまま線路を進めば５人の作業員を犠牲にし、方向を変えて別の線路に進めば１人の作業員を犠牲にするという状況下で、どちらの線路を選択すべきか、つまり「ある人を助けるために他の人を犠牲にすることは許されるか」という課題を扱ったものです。この「トロッコ問題」を検討することによって、現代の倫理学が果たすべき役割について改めて考えてみたいと思います。

2　カントの道徳哲学

道徳的法則はア・プリオリな原理である

カントは『道徳形而上学原論』の序言において、何人といえども次のことは認めざるを得ないだろうと言っています。

ア　ある法則が道徳的に妥当すべきであるなら、その法則は絶対的必然性を帯びねばならないこと

イ　道徳的法則は人間だけでなくすべての理性的存在者に通用すること

ウ　責任の根拠は人間の自然的性質や環境に求めるべきではなく、純粋理性の諸概念にア・プリオリに求められねばならないこと

エ　いかなる道徳的指定も経験的根拠に支えられている限り、道徳的法則と呼ばれ得ないこと

ここから明らかになるのは、カントにとって道徳的法則は、決して経験に左右されるもの（カントはこれを「ア・ポステリオリ」と言います）ではなく、一切の経験にまったくかかわりがなく（カントはこれを「ア・プリオリ」と言います)、自然界における自然法則のように絶対的必然性をもっているということです。一般的な道徳哲学も道徳的法則や義務について述べていますが、それらは純粋な原理と経験的原理を混ぜ合わせてしまい、道徳そのものの純粋性や道徳の本来の目的を損なっている、とカントは言います。純粋な道徳的法則を研究するには、純粋な道徳哲学すなわち「道徳形而上学」が是非とも必要なのです。本書（『道徳形而上学原論』）の目的は道徳の最高原理の探求と確立にありますが、その方法としては、まずは普通の実践的認識から始めて最高原理の規定に達するという分析的方法を取り、次にこの最高原理から普通の実践的認識に戻るという総合的な方法を取ることになります。

善意志と義務

「第１章　道徳に関する普通の理性認識から哲学的な理性認識への移り行き」の冒頭で、カントは、無制限に善と見なされ得るものは善意志であり、「善意志は、それが遂行し成就するところのものによって善なのではなく、意欲そのものによって、すなわちそれ自体として善なのである」と言っています。そして、理性的存在者にとっては、幸福を得ようとするなら本能の方がはるかに確実であるのに、それでも私たちに理性が与えられているのは、理性によって善意志を生ぜしめるためだと言っています。つまり、理性の使命は善意志を生ぜしめることなのです。善意志を生ぜしめることは、幸福の達成すなわち人

間の傾向性（欲望）を制限することになりますが、理性は善意志を確立しさえすれば、それで満足を得られるのです。

カントは続けて「義務」について述べています。彼は「義務に適った行為」と「義務に基づく行為」とを厳格に区別します。自らの傾向性（欲望）から出た行為はたとえ「義務に適って」いても、道徳的価値はもちません。「義務に基づく行為」のみが道徳的価値をもつのです。商人が正直な商売をしても、それが客のためではなく自分の利益のためであるならば道徳的な行為とは言えず、人が他人に親切にしたとしても、それが他人を喜ばすことで自分も満足を得るのだとすれば、真正な道徳的価値をもつ行為ではないのです。幸福を促進する場合でも、傾向性（欲望）によるのではなくて義務に基づいて行動しなければならないのです。これはキリスト教的な隣人愛も同じで、そのような実践的愛の根拠は同情心や感覚的な性向の中にではなく、意志の中に、行動の原則の中に存するのです。

さらにカントは、義務に基づく行為の道徳的価値は、その行為によって達成せられる意図にあるのではなくて、その行為を規定するところの「格率（主観的規則）」にあると言います。つまり、行為の道徳的価値は、義務に基づいて為されたという意欲（意志）の形式的原理の中にあるのです。また、義務とは、道徳的法則に対する尊敬の念に基づいて為すところの行為の必然性であるとも言われます。法則だけが尊敬の対象であり、また命令となり得るのです。このように、行為の道徳的価値は、その行為の結果にあるのではなく、その行為が義務の念すなわち法則に対する尊敬の念から行われたかどうかにかかっているのです。

道徳の第一法則

それでは、道徳的法則とはいかなるものなのでしょう。カントは、これを或る行為だけに適用されるような特殊なものではなく、行為の普遍的合法則性一般であるとし、次のように述べています。「私の格率（主観的規則）が普遍的法則になるべきことを私もまた欲し得るように行動し、それ以外の行動を決して取るべきではない」。これは、先ほど「1　意志（意思決定）の２つの過程」で紹介したカントの言葉すなわち「君は、君の格率（主観的規則）が普遍的法則となることを欲し得るような格率に従ってのみ行為しなさい」と同じ内容になっています。要するに、これが道徳的法則なのです。私が窮地に立たされたとき、私は偽りの約束つまり嘘をつくことがあるかもしれません。しかし、私は嘘を欲することはあっても、それを普遍的法則として欲することは決してないでしょう。もし、嘘をつくことを普遍的法則として欲するなら、約束など成立しなくなってしまうからです。このことは普通の人間理性（常識）でも十分に理解できるものです。

道徳形而上学

しかし、「第２章　通俗的な道徳哲学から道徳形而上学への移り行き」の冒頭で、カントは、前章で述べた義務の概念は常識から導かれるにしても、それを経験的概念と思いなしてはならないと言います。実際、私たちの行為は義務に適っているかもしれませんが、それがいつも純粋に義務に基づく行為であるかは、はなはだ疑わしいのです。むしろ、義務に基づく行為などという事例を、経験によって立証することは不可能であると言うべきかもしれません。それなのでいつの時代にも、人間の行為のうちには義務などという気持ちは存在せず、どんな行為も多かれ少なかれ自愛の念に由来すると考える哲学者たちがいたのです。また、道徳性などというものは人間の自惚（うぬぼ）れによる妄想の所産にすぎないという人たちさえいます。

しかしそれもにもかかわらず、私たちは次のような信念をもっているとカントは言います。それは、あれこれの行為が実際に為されるかどうかではなく、理性は一切の現象にかかわりなく、何が為されるべきかを命令するという信念です。例えば、これまで誠実な友人などというものは１人も存在しなかったかもしれませんが、交友関係において混じりけのない誠実さは誰にでも要求できるのです。なぜなら、誠実であるという義務は一切の経験に先だつ義務一般として、「ア・プリオリな根拠によって意志を規定する理性」という理念のうちに基礎をもつからなのです。

カントは自らの道徳哲学について次のような構想を述べています。まずは道徳哲学を形而上学の基礎の上にしっかりと据え、そうして道徳哲学が確立したら、これに通俗性を与えてこの学の普及を図るというものです。しかし道徳の諸原理の妥当性を論じる段階において、通俗性に迎合しようとするのは不合理であり、かえって根本的な見解をすべて放棄することになりかねないと言っています。通俗的な道徳哲学は、感情や傾向から生じる動機に雑多な理性概念を混ぜ合わせたものであり、このような動因は従うべき原理をもたないから、ときには人を善に至らせることもあれば、しばしば悪に至らせることもあるのです。

こうして、カントは次のことが明らかになると言います。

ア　およそ道徳的概念は、すべてその起源と所在を、まったくア・プリオリに理性の中にもっている

イ　道徳的概念は、経験的認識から抽象され得ない

ウ　道徳的概念がこのように純粋であるということこそ、尊厳を保有する所以（ゆえん）であり、われわれに対する最高の実践的原理となる

エ　われわれがこれらの概念に経験的なものを付加するにつれ、その純粋な影響力と行為の無限の価値はそれだけ減損される

オ　純粋実践理性の全能力を規定するのは、理論的見地においても

必要であるが、実践的にも非常に重要である

さらにカントは、純粋な道徳形而上学が必要なのは、理性の普通の実践的使用だけでなく、道徳教育において、道徳をその純正な原理の上に確立し、純粋な道徳的心意を生ぜしめ、世界において可能な最高善を促進するためにそのような心意を深く人心に植え付けるためであると言っています。つまり、カントの道徳哲学は、日常の具体的な場面において人はいかに行動すべきかという経験的な行動の指針を探究するのではなく、本来の道徳のあるべき姿、一切の経験にかかわりなくまた人間に限らず理性的存在者一般に通用するような普遍的原理、道徳的行為一般に対する心構えといったような「道徳の理念」の探究を目指すものなのです。したがって、カントの道徳哲学の特徴は、よくも悪くもその「ア・プリオリ性」にあると言えるでしょう。

定言的命法

理性的存在者は、原理に従って行動する能力すなわち意志をもっています。理性と意志は本来同一であるはずなのですが、人間の場合、理性と意志とは完全には一致しません。つまり、理性の客観的法則（原理）と意志の主観的条件（格率）との間にはずれが生じています。それゆえ、意志にとっては理性の客観的法則は強制であり「命法（…べし）」と感じられるのです。そして、カントは命法には「仮言的命法」と「定言的命法」があると言います。仮言的命法が行為そのものとは別の或るもの（例えば、幸福）を得るための手段としての行為を提示するのに対して、定言的命法は行為を何か他の目的に関係させずに、行為それ自体を客観的・必然的であるとして提示する命法です。この定言的命法が道徳的命法であることは言うまでもありません。そして、カントは定言的命法を次のように表しています。「君は、君の格率が普遍的法則となることを、当の格率によって同時に欲し得るような格

率に従ってのみ行為せよ」。つまり、定言的命法と道徳的法則は同じものなのです。

さらにカントは、義務の普遍的命法としての定言的命法を「君の行為の格率が君の意志によって、あたかも普遍的自然法則となるかのように行為せよ」と言い換えています。つまり、義務とは意志が立てる格率が普遍的自然法則に合致していることなのです。ここでカントは、経験的実例を重視しない彼にしては珍しく、４つの具体的な義務について言及しています。まず完全な（厳しい）自分に対する義務として、「自殺の禁止」を挙げています。自殺をしてもよいという格率は自然法則に完全に反しているからです。次に、完全な（厳しい）他人に対する義務として「偽りの約束の禁止」を挙げています。これは先に見たように、このような格率が普遍性をもつとしたら、約束そのものを不可能にしてしまうからです。

続けてカントは、不完全な（ゆるい）自分に対する義務として「自分の自然的素質の向上」を挙げています。怠惰や歓楽にかまけて自然が自分に与えてくれた素質を開発するよう努力しないことは、自然法則を否定するものではないが、そのような格率を人は望まないだろうと言っています。最後に、不完全な（ゆるい）他人に対する義務として「困窮者への援助」を挙げています。私が困窮者を特に援助しなくても、人類の生活には格別な支障はないでしょうが、しかし、「私は困窮者に一切援助しない」という格率を自然法則として欲することは不可能だとカントは言います。なぜなら、その人自身が他人の愛や同情を必要とすることがしばしば生じるからです。結局、義務は唯一の「定言的命法（君は、君の格率が普遍的法則となることを、当の格率によって同時に欲し得るような格率に従ってのみ行為せよ）」から導かれなければならいということなのです。

目的と手段

義務は行為の実践的・無条件的必然性であり、すべての理性的存在者に対して妥当しなければならないとカントは言います。定言的命法がすべての理性的存在者に妥当するのだとすれば、私たちは経験的心理学を越えて「道徳形而上学」の領域に入ることになります。ここで問題となるのは、生起するものの根拠を突き止めることではなく、たとえ実際には生起しないとしても、生起すべきものの法則を確認することです。この客観的・実践的法則は、経験的なものとは一切関係なく、意志が理性だけによって規定される限りでの、意志が自分自身に対してもつ関係です。

意志が自己規定の客観的根拠とするものは「目的」です。つまり、意志は目的において自己を規定するのです。これに対して、行為の結果を可能にするだけのものは「手段」と呼ばれます。ですから、目的を設定する場合、その目的が或る主観的な行為の結果を目指すものであれば、そのような相対的な目的は仮言的命法の根拠を成すにすぎません。つまり、そのような目的は何か自分とは別の或るものを実現するための手段としての価値しかもたないのです。

それに対して、或るものの現実的存在自体が絶対的な価値をもち、目的自体として一定の法則の根拠となりうるならば、それは定言的命法すなわち実践的法則の根拠となりうるでしょう。そこでカントは次のように言います。「人間ばかりでなく、およそいかなる理性的存在者も、目的自体として存在する。すなわちあれこれの意志が任意に使用できるような単なる手段としてではなく、自分自身ならびに他の理性的存在者たちに対して為される行為において、いついかなる場合にも同時に目的と見なされなければならない」。こうして、人間を含めた理性的存在者は単なる手段としてではなく、目的そのものとして扱わなければならないことが明らかになったのです。

道徳の第二法則と「意志の自律」

次にカントは、存在するものを、自然に依存し手段としての価値しかもたない「物件」と、意志に依存し目的自体であるところの理性的存在者である「人格」とに区別します。こうして、彼は定言的命法を次のように言い換えています。「君自身の人格ならびに他のすべての人の人格に例外なく存するところの人間性を、いつでもまたいかなる場合にも同時に目的として使用し決して単なる手段として使用してはならない」。「君の意志の格率が普遍的法則となることを欲するような格率に従って行為せよ」という表現が定言的命法＝道徳的法則の第一法則だとすれば、この「人格は常に目的として扱い、決して手段として使用してはならない」という表現は定言的命法＝道徳的法則の第二法則と言うべきでしょう。続けて、カントは先ほどの義務の４つの事例について、この第二法則の観点から解釈しなおしています。

第一に、もし人が現在の切ない状態から逃れようとして自殺を図るのだとすれば、その人は自分の人格を生活するための単なる手段として使用していることになってしまいます。それゆえ、自殺は許されないのです。第二に、他人に対して偽りの約束をするという行為は、他人を目的としてではなく単なる手段として利用しようとしていることは明らかでしょう。第三に、自分の素質を伸ばそうと努力しないのは、目的としての人間性を保存することはできてもそれを促進することはできないでしょう。最後に、困窮者への援助については、幸福は人間のもつ自然的目的ですが、各人が他人の目的（幸福）をできるだけ促進するように努めないとしたら、目的自体としての人間性と消極的には一致するかもしれませんが、積極的に一致するものではないとカントは言っています。

さらにカントは、道徳的法則の第三の原理として、普遍的に立法する意志としての、それぞれの理性的存在者の意志という理念を挙げています。つまり意志は自ら普遍的立法者であり、自分自身が与える法則であるがゆえに法則に服従するのです。カントはこの原理を「意志の自律の原理」と呼んでいます。理性的存在者が各自の意志の格率によって、自らを普遍的立法者と見なすとすれば、理性的存在者の概念は「目的の王国」に至るとされます。理性的存在者は普遍的立法者であるがゆえに自律的自由をもち、それゆえ、単に手段としてではなく目的自体として扱われなければならないのです。

「目的の王国」では、一切のものは「価格」をもつか、「尊厳」をもつかのいずれかであるとされます。これは先ほどの「物件」と「人格」に対応しているでしょう。道徳性と道徳性をもった人間性（「人格」）だけが「尊厳」すなわち「内的価値」をもつのです。道徳的行為、例えば、約束を守る誠実さや原則に基づく好意がもつ価値は、それらがもたらす結果の利益や効用にあるのではなくて、まったく心意つまり彼の格率が自分自身に与える普遍的法則であるがゆえに服従するという心の在り方にあるのです。したがって、人間性の尊厳は彼が普遍的立法者であること、すなわち「意志の自律」にあります。私たちは、自らが普遍的に立法した法則に服従するとき、私たちの意志は真に自由であり尊厳をもち、善なる意志となるのであり、このような自律的存在であるがゆえに「目的の王国」の成員なのです。この「人間性の尊厳は私たちが普遍的立法者であること（「意志の自律」）に基づく」というのがカント道徳哲学の結論でしょう。

カントの理想主義

この章の最後で、カントは「意志の他律」を根本概念とした場合の道徳について述べています。意志が自らの格率を自分とは別の客体に求めるとき、「他律」が生じます。この客体が意志に法則を与えることになると、その命法は「仮言的命法」になってしまいます。仮言的命法とは、「私は普遍的法則とは別の或るものを欲するがゆえに、或ることを為すべきである」という命法です。例えば、「嘘をつくべきではない」という命法は、「たとえ私が嘘をついたためにいささかの不名誉を招くことがないにせよ（これは、相手が不誠実である場合が考えられます）、嘘をつくべきではない」というのなら定言的命法ですが、「もし私が体面を保とうと欲するならば、嘘をつくべきではない」というのなら仮言的命法になるのです。また、「私は他人の幸福の促進に努めるべきである」という命法も、他人の幸福が私にとって大切だからそうするのであれば、それは仮言的命法ですが、「他人の幸福を考慮するな」という格率が普遍的法則として妥当しないからそうするのだとすれば、それは定言的命法になるのです。

このように、定言的命法が求める行為は法則以外の何か別のものに基づくのではなく、純粋に法則に対する義務の念に基づく行為なのです。あなたが困っている人を助けたとき、その人が喜ぶ姿を見て「あなたに喜んでもらえて、私もうれしいです」と言うのであれば、助けるという行為は「仮言的命法」になってしまいます。「人として当然のことをしたまでです」と言ってはじめて「定言的命法」になるのです。自分がこのように振る舞えるかというとまったく自信がありませんが、災害ボランティアの方の中にはそのような気持ちから参加されている方も実際にいらっしゃるでしょう。そのような人こそ尊敬に値する人でしょう。ただ、カントも言うように、私たちが実際に純粋に義務の念から行動できるかどうかは不確実ですが、しかし「そうすべき」であることは間違いないことですし、そのような行動を取ることはまったく不可能ではなく、私たちがそのような行動を「取りうる」こともまた間違いないことでしょう。私たちがそのような行動を取ることが「可能である」という点に、カントは人格の尊厳を見ているのです。

それにしても、カントが道徳的行為として認めるハードルは非常に高いと言わねばなりません。多くの人は、相手が喜ぶ姿が見たいという理由でボランティア活動をすることは立派な道徳的行為であると思っています。実際、功利主義はそのように考えます。その意味で、カントは理想を求めすぎるのではないかという批判も出てきます。確かに、カントは理想主義者ですが、しかし、たんなる夢想家ではありません。自分の要求が完全に実現できるとはカント自身も思っていないでしょう。私は「これまで誠実な友人などというものは1人も存在しなかったとしても、交友関係において混じりけのない誠実さは誰にでも要求できる」というカントの言葉が強く印象に残っています。理想はそれが不可能ではないという点に意味があるのです。「目的の王国」は現在どこにも存在していませんが、将来においてもそうであるかはわからないでしょう。現実に存在するようになる可能性は皆無ではないのです。「ほんのわずかでも可能性があるのだとすれば、その可能性に賭けてみなさい」とカントは言っているのではないでしょうか。

『道徳形而上学原論』の第3章の表題は「道徳形而上学から純粋実践理性批判への移り行き」となっています。ここでは、現象界＝感覚的世界において自然法則が成り立つように、叡智界＝超感覚的世界においては道徳的法則が成り立つこと、つまり「意志の自律（自由）」が成り立つことが述べられています。本書の「第2章　存在するもの」で触れたように、私たち人間（理性的存在者）は「現象」としては自然法則に従いますが、「物自体」すなわち叡智者としては自由（自律）な存在であるという二面性をもつというのがカント哲学の核心なのです。最後に、このカント哲学の核心を最も印象的に表した『実践理性批判』の結びの言葉を引用しておきましょう。私はこの言葉は哲学的格言の中で最も美しい言葉だと思っています。

「それを考えることしばしばにして長ければ長いほど、ますます新たにしてかつ増大してくる感嘆と崇敬とをもって心を充たすものが2つある。それはわが上なる星の輝く空とわが内なる道徳法則とである」。

3　ベンサムの功利主義

ヒュームの道徳論…「理性は情念の奴隷である」

前節で見たカントの『道徳形而上学原論』が出版されたのが1785年であり、これから検討するベンサムの『道徳および立法の諸原理序説』が出版されたのが1789年ですから、両書はほぼ同時期に出版されたわけです。一方、カントをして「独断のまどろみから揺り起こされた」と言わしめたヒュームの『人性論』が出版されたのが1739～40年にかけてでした（「第3篇　道徳について」は1740年です）。ヒュームの道徳論がカントにどれだけの影響を与えたのかは、私自身哲学史の研究者ではないのではっきりしたことはわかりませんが、『人性論』を読んでみると、ヒュームの道徳論はまるでカントの道徳哲学を念頭に置いて批判しているような錯覚を覚えます。両思想はそれだけ対照的であるということなのでしょう。本節では、まずは功利主義の先駆となったヒュームの道徳論を概観し、続けてベンサムの功利主義を詳細に検討していくつもりです。その際、カントの道徳哲学との比較を随時行っていきます。そうすることで、功利主義とカント道徳哲学との違いを明確にしたいと考えているからです。

ヒュームは、哲学においても日常生活においても、多くの人たちによって道徳的行為は情念（感情）ではなく理性の命令に基づくと主張されていることに異議を唱えます。彼によれば、意志を働かせる動機となるものは理性ではなく情念です。私たちはある対象について快楽あるいは苦痛を予期すると、その結果として愛着または嫌悪の感情が起こります。そして、苦痛（不快）を避けて快楽を与えるものを取り込もうと行動します。このとき、理性はこの結合を見出すだけであり、理性が私たちの心を動かすわけではありません。「理性は情念の奴隷であり、またそれだけのものであるべきであって、理性は情念に仕え、従う以外に何らかの役目を望むことはできない」のです。

穏やかな情念と共感

私たちの意志は、道徳的行為においても実際には理性ではなく情念によって導かれているのですが、それが理性によって規定されると誤解されるのは次のような理由によります。一般に、理性の働きは心の作用の中でも感動を含まず穏やかで静かな働きです。これに対して、情念の働きは時には激しい感動に動かされ、自分自身の快や善を全く考慮しない衝動を呼び起こすことさえあります。このような「激しい情念」として、敵を懲らしめたいという欲望、友人の幸福を願う欲望、飢え、性欲、その他の身体的欲求などが挙げられますが、これらの激しい情念が道徳的行為を生むとは考えにくいからです。そこで、道徳的行為は、冷静で穏やかな心の作用である理性によって導かれると誤解されてしまうのです。

これに対して、ヒュームは理性の作用と区別できないほどの「穏やかな情念」があると言います。この「穏やかな情念」はさらに直接的な情念と間接的な情念に分かれます。直接的な情念は、慈愛や恨み、生命愛、子供への心遣いなどの人間の本性にもともと植え付けられている自然的な本能であり、間接的な情念は、善への一般的な欲望や、悪への一般的な嫌悪です。いずれにせよ、この「穏やかな情念」が、快楽と苦痛を基礎として、善と悪、愛と憎しみ、喜びと悲しみ、希望と恐れなどの感情を生むのです。

ヒュームは道徳的感情を引き起こすものとして、特に「共感」を強調しています。共感とは、人の心的作用には個人的な違いがあまりないことから、他人の行動を見て、自分がその行動をしていたときに感じていた感情をその人も感じているだろうと考える推論から生じる感情です。共感は美的感情に顕著に表れますが、道徳的感情もまた共感から生まれます。特に、私たちが「正義」の実現を目指すのは、「公共の利益への考慮」からですが、その根底には純粋な人類愛というようなものではなく、身近な人々の幸福への共感を出発点として、自分や友人とは直接かかわりのない見知らぬ他の人々の幸福への共感がある、とヒュームは言います。正義のような人為的な徳は、人類の善を目指し、社会に相応しい一員になろうとする「共感」から生まれるのです。

ヒュームは「道徳は判断されるというよりも感じられるというほうが適切である」と言っていますが、彼が、道徳は理性によって規定されるよりも情念（感情）によって規定されると考える背景には、その認識論があると思われます。彼は、知覚の対象をそれが心に働きかけるときの勢いと生気の違いによって「印象」と「観念」に分けていました。「印象」はきわめて勢いよく、激しく心に入り込む知覚で、これには感覚、情念、感動などが含まれます。また、「観念」はそのような勢いと生気をもたない知覚で、これには思考や推論の心像などが含まれます。そして、行為の主体である意志は、勢いの弱い知性（理性）の対象である「観念」よりも、勢いと生気の強い感覚や情念（感情）の対象である「印象」の影響を強く受けるのです。

事実判断と価値判断

また、ヒュームは、次のような主旨を述べています。どのような道徳体系でも、その著者は、しばらくは通常の仕方で論究を進めるのですが、神の存在を立証し、人間に関する事柄を述べる段になると、今まで「である」「ではない」という「事実判断」で語っていたのが、いきなり「すべきである」「すべきでない」という「価値（当為）判断」の命題に変わってしまい、驚かされるというのです。つまり、ヒュームは、「事実判断」は「観念」の比較に基づく理性の働きであるが、「すべきである」「すべきでない」という道徳と結びついた「価値判断」は、心を強く刺激する「印象」に基づいていなければならず、したがって、理性ではなく情念の働きだと言うのです。したがって、理性による「事実判断」からは情念による「価値判断」を導くことはできないことになります。

もちろん、意志を道徳的行為へと導く情念は、怒りのような「激しい情念」ではなく、理性と区別がつかないほどの冷静で「穏やかな情念」です。それらは、子供に対する愛情、恩人に対する感謝、不幸な人々への同情などの人道的本能であり、また、自分の利益を追求する自然的な傾向を抑制し、社会の利益を維持しようとする義務意識でもあります。そして、その根底には他者への「共感」の原理があるのです。このように道徳の根拠を理性による規定ではなく、情念（感情）の規定に求めたことによって、ヒュームの道徳論は功利主義の先駆となったのでした。

ヒュームとカント

ヒュームの道徳論でまず印象に残るのは「理性は情念の奴隷である」という言葉でしょう。「私たちの意志を導くのは理性ではなく情念である」というこの思想が、ベンサムの功利主義へ受け継がれていくわけですが、私は、カント自身もこのような見解をたとえヒュームの著作からではないとしても、かなり意識していたのではないかと思っています。前節で、「幸福を得ようとするなら本能の方がはるかに確実であるのに、それでも私たちに理性が与えられているのは、理性によって善意志を生ぜしめるためである」というカントの言葉を紹介しましたが、もし道徳的行為の目的が幸福にあるのだとすれば、意志を規定するのは理性よりも本能すなわち情念の方がはるかに有効であることはカント自身が認めるところです。にもかかわらず、カントが理性にこだわるのは、理性のみが意志に対して普遍的法則を提示できるからであり、道徳的行為の目的は幸福ではなく、普遍的法則への服従であることを明確にしたかったからでしょう。

さらに興味深いのは、ヒュームが、道徳を論じる多くの著者が、はじめは「である」「ではない」という「事実判断」で語っていたのに、いきなり途中から「すべきである」「すべきでない」という「価値判断」の命題に変わってしまうことに驚くという箇所です。ヒュームは、「事実判断」は理性によるものであり、「価値判断」は情念によるものであるが、道徳的判断は本来「価値判断」であるから、理性（「事実判断」）からは導き出せないと言っているわけです。ヒュームにとっては、道徳の規則は理性の判断（決定）に由来するものではなく、情念の判断（決定）に由来するものなのです。それゆえに、「理性は情念の奴隷」であり、「道徳は判断されるというよりも感じられる」ものなのです。

ところが、カントの見解はこれと真っ向から対立するものです。道徳の規則は情念による「価値判断」ではなく、理性による命法、特に無条件的な「定言的命法」であるとされるのです。カントにすれば、もし道徳の規則が情念の「価値判断」であるなら、その命法は「仮言的命法」となってしまいます。「仮言的命法」は意志にとって行為そのものとは別の或るもの（例えば、幸福）を得るための手段として行為を提示するものにすぎません。「もしあなたが人から褒められたいのなら、人を助けるべきである（助けなさい）」というように、「仮言的命法」では、人を助けるという行為は褒められるという幸福を得るための手段でしかないのです。道徳的命法は無条件的にただ「人を助けなさい」という「定言的命法」でなければならず、これは理性が意志に示す普遍的法則なのです。理性が命じる道徳的法則は、自然界（現象界）における自然法則のように絶対的必然性をもち、叡智界＝超感覚的世界において事実として存在するものなのです。もし、カントがヒュームの道徳論を知っていたとすれば、彼はヒューム説の正反対を主張したことになるでしょう。

政治科学と道徳科学

前節で見たように、カントは自らの道徳哲学を「道徳形而上学」と呼んでいました。「形而上学」とは、経験や現象を越えた真実在や本質について探究する学のことです。したがって、カントにとって道徳的法則は、一切の経験にまったくかかわりがなく（カントはこれを「ア・プリオリ」と言っていました）、自然界における自然法則のように絶対的必然性をもつものでした。これに対して、ベンサムは『道徳および立法の諸原理序説』の序言の中で、悟性の論理学があるように「意志の論理学」があること、そして、その中の重要な部門として「法律の科学」があり、その２つの体系として「政治科学」と「道徳科学」があると言っています。したがって、ベンサムはその著書名からわかるように、道徳だけでなく立法つまり政治の原理について考察しているのです。

さらにベンサムは、政治科学と道徳科学の真理は特に扱いにくいものであり、一般的な命題に無理にまとめ上げられてはならないと言っています。「真理は絶叫者の舌やペンを恐れて後ずさりする。真理は感情と同じ土壌の上には栄えない。真理はいばらの間に成長するものであり、走り回る子供たちによって、ひなげしのように引き抜かれてはならない」。この科学には「王者の道や総督の門」はないのです。この学問観もカントとは対照的でしょう。カントは具体的な個別の経験を越えたア・プリオリな原理を探究していました。それはまさに「王者の道」と言えるでしょう。しかし、ベンサムはあくまでも個別の経験に即した精密で包括的な研究を目指しています。「真理は警句のようなものに圧縮されてはならない」というのがベンサムの信条なのです。以上のことを踏まえて、『道徳および立法の諸原理序説』の内容を見ていきましょう。

功利性の原理（最大幸福の原理）

「第１章　功利性の原理について」の冒頭で、ベンサムは先に紹介したように「自然は人類を苦痛と快楽という、２人の主権者の支配のもとに置いてきた。…功利性の原理はそのような［苦痛と快楽への］服従を承認して、そのような服従をその思想体系の基礎と考えるのである」「功利性の原理とは、その利益が問題になっている人々の幸福を促進するように見えるか、それともその幸福に対立するように見えるかによって、すべての行為を是認し、または否認する原理を意味する」と言っています。そして、続けてベンサムは「すべての行為には、一個人のすべての行為だけでなく、政府のすべての政策を含む」と言います。つまり、ベンサムは道徳と政治を同時に扱っているのであり、この点、道徳だけを対象としているカントとは異なります。

余談になりますが、私は、このほぼ同時代人である２人の思考対象が異なるのは、ドイツ社会とイギリス社会の政治的な成熟度の違いが影響しているのではないかと考えています。そもそも古代ギリシアにおいては、政治と倫理は密接な関係をもっていました。本書の「第

１章　精神のはたらき」「1　精神の構造」で紹介したプラトンの『国家』でも、個人の徳目である知恵・勇気・節制・正義はそのまま「国家（ポリス）」の各階級の徳目でもありました。その後、古代民主制の没落とキリスト教の支配とによって倫理は政治とは切り離され、個人の道徳として論じられてきましたが、近代になり特に17世紀以降、イギリスで市民革命が起こるようになると、人々の関心は再び政治へと向かっていったように思います。特に18世紀後半といえば、アメリカ独立革命やフランス革命の勃発、そしてイギリスにおける産業革命の進展など政治や経済における大変革が進行していましたが、ドイツはそのような政治・経済的潮流から取り残されてしまったように思います。こうしたドイツの後進性がカントとベンサムの思想の違いにも反映しているのではないかと思っています。

さて、功利主義は社会の利益の増大を目指しますが、社会の利益とは社会を構成している個人の利益の総計にほかなりません。そして、個人の快楽の総計を増大させる傾向をもつもの、あるいは同じことですが、個人の苦痛の総計を減少させる傾向をもつものは、個人の利益を促進すると言われます。同様に、ある政府の政策が社会の幸福を増大させる傾向が、それを減少させる傾向より大きい場合には、その政策は功利性の原理に適合していることになります。功利性の原理に適合している行為はそれを為さねばならない行為であり、正しい行為です。このように、私たちは実際に功利性の原理に従い、この原理を受け入れているのですが、その適用の仕方がわからなかったり、何らかの偏見のために功利性の原理に対立するような人々もいるとベンサムは言います。しかし、功利性の原理は「最大幸福（最大多数の最大幸福）の原理」であり、この原理の正当性を否認することは不可能であり、ある人がこの原理を好まないことがあっても、段階を踏めば最後には功利性の原理と和解するようになるだろうと彼は言っています。

共感と反感の原理

「第２章　功利性の原理に反する諸原理について」では、ベンサムは禁欲主義と共感と反感の原理に言及しています。彼は禁欲主義については、快楽を非難し苦痛を愛することが立派なことのように思い込んでいるだけであり、それは功利性の原理の誤った適用にほかならないと言っていますが、「共感と反感の原理」については、功利性の原理に反する諸原理のうちで、統治の問題に最大の影響を与えていると言います。

先に見たように、功利主義の先駆となったヒュームは、道徳的感情の根底には他者への「共感」の原理があると言っており、また、ベンサムの後継者であるＪ・Ｓ・ミルも道徳的感情としての「利他心」を生む動機として「共感」の重要性を強調していますが、ベンサムは「共感と反感の原理」を激しく非難しています。彼によれば、「共感と反感の原理」とは、ある行為をたんにある人がその行為を是認または否認したいと思うゆえに是認または否認し、それで十分な理由であるとして、何らかの外部的な理由を探し求める必要を否定する原理のことです。この原理では、どの行為に否認のしるしを付けるかは自分自身の感情に相談するだけでよく、自分自身のうちに非難したいという気持ちを起こさせるものは、まさにその理由のために悪いとされます。ベンサムは特に反感が刑罰の量を不自然に重くする場合があることに触れ、反感や怨恨が害悪を生み出さないよう統制するのが功利性の原理であると言っています。

制裁と快楽計算

「第３章　苦痛と快楽との４つの制裁または源泉について」では、苦痛と快楽が生じてくる源泉をベンサムは「制裁（sanction）」と呼んでいます。これは「最大幸福の原理」を遵守させるため、ある人がこの原理に違反した（あるいは過失がある）場合にその人に苦痛を与える源泉と考えられます。ベンサムは物理的・政治的・道徳的・宗教的の４つの制裁を挙げていますが、これらは違反者に対する「刑罰」と考えられます。功利性の原理には快楽の促進と苦痛の回避という２つの側面がありますが、この第２章と第３章では、苦痛の回避に重点が置かれているようです。功利主義は不幸にして、世間から個人的快楽（幸福）のみを追求する学説と誤解され、「豚の倫理」などと非難されたりしましたが、実際には個人の幸福よりも社会全体の幸福を優先する傾向があり、また多くの場合、ある人にとって幸福を促進する行為が別の人にとって不幸の増大につながることから、政府は政策を決定する際に、社会全体の幸福と不幸の総計を考慮する必要があると説く学説なのです。

社会全体の幸福と不幸の総計を考慮するためには、快楽と苦痛の（価値）計算ができなければなりません。そこで、第４章では、快楽と苦痛の価値について、個人については、「強さ」「持続性」「確実性」「遠近性」「多産性」「純粋性」の６項目を、一定数の人々については、これらに「範囲」を加えた７項目において、すべての快楽とすべての苦痛を総計して差し引きすることになります。個人の利益について、もしその差し引きが快楽の方に多いなら、その行為はよい傾向を与え、もし苦痛の方に多いなら悪い傾向を与えることになります。同様に一定数の人々については、まずその行為がよい傾向である各個人の人数を合計し、次にその行為が悪い傾向である各個人の人数を合計して、その差し引きが快楽の方に多いなら、その行為はよい傾向をもち、もし悪い傾向の方に多いなら、その行為は悪い傾向をもつことになります。以上がいわゆる「快楽計算」ですが、ベンサム自身これらの計算が厳密に行われ得るとは思っていません。しかし、自分の利益を正しく理解しようとすれば、このような計算を誰もが行っていると言っています。

快苦と道徳的感情（感受性）

「第５章　快楽と苦痛、その種類」で、ベンサムは特定の快楽と苦痛について個別に検討していますが、その中で道徳的行為と直接関係すると思われるものをいくつか挙げておきましょう。まずは、名声の快楽と悪名の苦痛です。よい評判や名誉を得ることに対する快楽と悪い評判や不名誉を得ることに対する苦痛とが道徳的制裁の快楽と苦痛へとつながるのです。つまり、私たちが道徳的行為をするのは悪い評判が立つのが嫌だから、あるいは自分の名誉を傷つけたくないからなのです。これは自分に関する道徳的感情と言ってよいでしょう。

次に、慈愛の快楽と慈愛の苦痛があります。慈愛の快楽とは、ある人が自分が好意をもつ人が快楽を得ていると想像することでその人自身も快楽を得るというもので、好意の快楽や共感の快楽とも呼ばれます。また、慈愛の苦痛とは、他の人々が苦痛を受けていると想像することでその人自身も苦痛を感じるというもので、好意または同情の苦痛とも呼ばれます。これらは慈悲深さや社会的感情の快楽と苦痛であり、他人の快楽や苦痛を想像することによって自分自身も快楽や苦痛を感じるというものですから、他人に関する道徳的感情というべきものでしょう。先にベンサムは、「共感と反感の原理」についてその判断基準が主観的であり客観的でないという理由で退けたのですが、反感はともかく、共感についてはヒュームと同様に道徳的感情として認識していたと考えるべきでしょう。

次に第６章で、ベンサムは感受性について言及していますが、道徳的感受性が強い人は名誉への関心が強い人であり、共感的感受性が強い人とは他人の幸福から快楽を引き出し、他人の不幸から苦痛を引き出す傾向が強い人と言っています。なお、よく構成された政府においては、人々の道徳的感受性は一般的に強く、彼らの道徳的傾向は功利性の命令によく適合していると言っています。

ベンサムとカント

ここで、ベンサムとカントを比較してみましょう。ベンサムは、名声を得るため、あるいは悪い評判が立たないように行動することは道徳的行為に適っていると認めますが、カントなら、そのような名声を得るための行為は「仮言的命法」に従う行為であって、純粋に義務の念から行う「定言的命法」に従う行為ではないと言うでしょう。ただ、「仮言的命法」を完全に否定しているわけではなく、カントが道徳的行為と認める基準はかなり高いということなのです。同様に、慈愛の快楽と苦痛についても同様で、他人が喜ぶのを見て自分も幸福な気持ちになりたいというのは「仮言的命法」であり、カントにしてみれば、「他人を不幸にさせる」という格率（主観的規則）は普遍的法則として妥当しないから「他人を不幸にする行為はすべきではない（他人を喜ばす行為をすべきだ）」ということになるのです。功利主義とカント道徳哲学とは対照的ではありますが、決して対立するものではなく、功利主義よりもカントの方が「道徳的」と認めるハードルが高いと考えるべきでしょう。

動機と結果

「第７章　人間の行為一般について」以降、ベンサムは政府の仕事について言及しています。政府の仕事は刑罰と報償によって、社会の幸福を促進することですから、社会の幸福を阻害する行為には刑罰を科さねばなりません。そして、適切な刑罰を科すためには、刑法上その行為がどのような意図で為されたかが問題となるでしょう。ベンサムは、ある行為の意図について、その意図の効果を結果、その意図の原因を動機と呼び、明確に区別します。彼によれば、意図という言葉は行為の結果について使われるもので、動機についてではありません。また、ある行為が意識的に為されたか、あるいは無意識のうちに為されたかも、行為の結果とともに犯罪の本質的な構成要素となるでしょう（「第９章　意識について」）。このように、功利主義は、個人の道徳も社会の幸福の増進（犯罪の抑制）と関連づけて論じますから、動機よりも行為の結果を重視する傾向があると言えるでしょう。この点も、ある行為が自分の利益を求めるのではなく、純粋に義務の念から為されたかどうかという動機を重視するカントとは対照的です。

とはいえ、いかなる行為あるいは犯罪も動機の性質により影響を受けますから、第10章で、ベンサムは「動機」について詳細に検討しています。まず彼によれば、「動機」とは何らかの行為を生み出したり、阻止するのに貢献するすべてのものを意味します。同じ動機であっても、その動機が善または悪であるのは、ひたすらその結果によるとされます。それが快楽を生み出しまたは苦痛を避ける傾向があるなら善であり、苦痛を生み出しまたは快楽を避ける傾向があるなら悪なのです。ところで、あらゆる言葉について見られる構造上のゆがみが、動機の名称についても当てはまると彼は言います。つまり、動機の名称にはその言葉を使う人々によって抱かれる意見が含まれているのです。それが道徳と立法の研究にも大きな困難をもたらしているのですが、結局は読者に判断してもらうしかないとベンサムは言っています。

行為の善悪は動機ではなく、結果による

具体的に見ていきましょう。まず、道徳的制裁の快楽あるいはよい評判の快楽に対応する動機について言えば、たとえば、あなたがある人から恥辱を受け、その汚名をそそぐために、他方においては勇気という名声を得るために、武器をもってその人に挑戦するという場合を

考えてみると、あなたの動機はある人から見れば立派であり、名誉心と呼ばれますが、別のある人から見れば非難すべきものであり、間違った名誉心と呼ばれるでしょう（もちろん、このような汚名をそそぐための決闘など現代では考えられないことですが）。また、あなたが高い地位を得て世間の人から尊敬されたいという動機から、その権限を持つ人を買収したとすれば、そのような動機は堕落した野心と呼ばれるでしょう。さらに、あなたが世間の人々の好意を得るために慈善事業をした場合、あなたの友人はそれは慈善心からだと言うでしょうが、あなたの敵は見せびらかしの行為だと言うでしょう。これらのすべてについて動機は同一であり、それは名声への愛以上でも以下でもありません。

次に、共感の快楽には、中立的な意味では好意という動機が対応しますが、それはよい意味では慈愛と呼ばれ、比喩的な意味では、兄弟愛、人類愛、慈悲心、憐れみ、同情などとも呼ばれます。あなたが放火で捕まった男への同情心から、その男の脱獄を助けたとすれば、あなたの行為を賞賛する人々は、その動機を慈愛とか同情と呼ぶでしょうが、あなたを非難する人々は、間違った慈愛とか間違った同情と呼ぶでしょう。また、ある裁判官が、ある人に尊敬や愛情の気持ちをもっているために、その人に有利な判決を下した場合、その動機は不正とか偏愛と呼ばれるでしょう（これも現代では考えられないことですが、当時は珍しいことではなかったようです）。また、あなたがある政治家の収賄を見つけて、その政治家を告発したとすれば、一般の人々からは、あなたの動機は立派なものと考えられ、公共的精神と呼ばれますが、その政治家の友人からは、党派的な憎悪と見なされるでしょう。また、あなたが餓死しそうな人を救ったなら、あなたの動機はすべての人々によって立派なものと考えられ、同情、憐れみ、慈愛と呼ばれるでしょう。これらすべてについて、動機は同一であり、それは好意の動機以上でも以下でもないのです。

このように、それ自体として悪い動機というものはなく、その動機がよいか悪いかはその結果によるのです。たとえば、動機の名称をその結果と切り離して考えるならば、性的欲望、不愉快および金銭的関心となるのですが、その動機の結果が悪いと考えるならば、性的欲望には色欲、不愉快には残虐および金銭的関心には貪欲という名称が与えられるのです。ベンサムはこれが陳腐な道徳観の実態だと言います。つまり、陳腐な道徳観はもともと中立的な動機に非難のしるしをつけるだけであり、ものごとの問題ではなく名称の問題にすぎないと言うのです。

「好意(慈愛)」の動機が「功利性の原理」に最も一致する

それでも、動機についてよいとか、悪いとかどちらでもないとかを言わねばならないとすれば、最も頻繁に起こる結果を考えて、次のように分類できる、とベンサムは言います。よい動機には「好意」「名声への愛」「親睦の欲望」「宗教」が、悪い動機には「不愉快」が、よくも悪くもない中立的な動機には「肉体的欲望」「金銭的関心」「権力への愛」「自己保存」が含まれます。しかしこのような分類方法はきわめて不完全であるため、ベンサムは動機を社会の他の成員の利益に与える影響によって分類すること、つまり動機を当事者の利益と社会の他の成員の利益とを結びつけたり離れさせたりする傾向に従って、分類することを提案しています。

それに従えば、先に挙げたよい動機は「社会的な動機」、悪い動機は「反社会的な動機」、中立的な動機は「自己中心的な動機」と呼ばれることになります。そして、「好意」「名声への愛」「親睦の欲望」「宗教」の 4つの「社会的な動機」のうち、純粋に「社会的な動機」という名称が与えられるのは「好意」だけであり、それ以外の動機は「準社会的な動機」であるとベンサムは言っています。つまり「好意（慈愛）」の動機こそが最も恒久的で明白な社会的傾向をもつのです。先に、道徳的行為と直接関係すると思われる快楽と苦痛として、名声の快楽と悪名の苦痛、および慈愛の快楽と慈愛の苦痛を挙げましたが、前者は自分に関する道徳的感情であり、後者は他人に関する道徳的感情と言うべきものでした。ここでベンサムは、改めて「功利性の原理」すなわち「最大幸福の原理」に最も確実に一致するのは「好意（慈愛）」の動機であると言っているのです。

「様々な種類の動機のうちで、好意はその命令が一般的に見れば功利性の原理に最も確実に一致する動機である。なぜならば、功利性の命令は最も広範囲の、そして開明的な慈愛の命令にほかならないからである」。しかし、ある一団の人々の利益に関する慈愛の命令がより広範囲の一団の人々の利益に関する慈愛の命令に反するということは十分起こり得ることです。その場合には、「部分的な慈愛はもっと広範囲の慈愛によって呑み込まれてしまう」とベンサムは言っています。功利性の原理が最大幸福の原理であることを考えれば当然と言えるでしょう。なお、功利性の命令の2番目は「名声への愛」の命令であり、3番目が「親睦の欲望」の命令です。そして「宗教」の命令は前の3つの原理のいずれかの模写であり、当人の先入観に従って生じるものであるとベンサムは言っています。

楽観的な人間観

この後、ベンサムは刑法について詳細に考察していますが、この部分は訳書においても要約で処理されていますので省略します。最後に、「第17章　法学の刑法部門の限界について」の訳者の要約のうち、必要と思われる部分を抜粋しておきましょう。

訳者は、私的倫理、立法、教育の3つは、功利性の原理から見れば、同一の目的をもつと述べた後、「倫理について見れば、ある人の幸福は、その人自身だけに関する行為と、他の人々の幸福に影響を与える行為とに基づいている。したがって、倫理は自己自身に関する義務、すなわち慎慮 prudence と、他の人々に関する義務、すなわち他の人々の幸福を減少させまいとする誠実 probity とそれを増大させようとする慈善 beneficence の 3 部門に分かれる。そして、誠実と慈善の行為を促進する動機は、共感、慈愛、親睦および名声への愛である」と指摘しています。

功利主義は、ベンサムの最初の言葉すなわち「自然は人類を苦痛と快楽という、2 人の主権者の支配のもとに置いてきた」という言葉が強烈であるために、個人の快楽を優先する低俗な倫理と世間から見られてきました。しかし、その内容を正しく考察してみれば、個人の幸福と社会の幸福が対立した場合、社会の幸福を優先するというきわめて公共的な倫理なのです。そして、功利性の原理である「最大幸福の原理」を支えるものは、ベンサムの言う「好意（慈愛）の動機」です。私はこれを「共感の動機」と呼んでよいと思います。「共感」とは、「他の人が快楽を得ていると想像することでその人自身も快楽を得、また、他の人が苦痛を受けていると想像することでその人自身も苦痛を感じる」という心のはたらきを指します。これは、自分の心情に基づいて他の人の心情を想像すること、つまり他人の心を思い量ることです。私たちはこのような心のはたらきを普通「思いやり」と呼んでいます。ベンサムからはそれは陳腐な道徳観だと言われそうですが、私は功利主義とは「思いやり」に基づく倫理であると思っています。

最後に、訳者のまとめの言葉を引用して、この節を終わりにしましょう。「ベンサムの立法論の目的は、能率的な法律の運用によって、社会秩序を確保する方法を探究することにあったが、各人は自己の幸福の最善の判定者 best judge であり、また自発的に他の人々の幸福を促進する動機を十分にもっていることを信頼して、誠実と慈善の徳に期待する、楽観的な人間観がベンサムの立法論の基礎にあったといえよう」。次節では、ベンサムの後継者であるＪ・Ｓ・ミルの功利主義を見ていきましょう。

４　Ｊ・Ｓ・ミルの功利主義

「功利（最大幸福）の原理」こそ道徳の根本原理である

Ｊ・Ｓ・ミルが『功利主義論』（1861年）を著したおもな理由は、まずは功利主義に対する世間の誤解を解くことにあったでしょう。前節でも触れたように、功利主義はその内容が十分理解されないまま、世間から精神的で高級な快楽よりも肉体的で低級な快楽を追求する低俗な倫理すなわち「豚の倫理」というレッテルを張られてしまったようです。特に、ベンサムと同時代のカントの道徳哲学が普遍的法則の立法者としての自律的自由に基づく人間（理性）の尊厳を強調した高貴な倫理であったために、それとの比較で「功利主義」という言葉を用いること自体ためらわれるという風潮があったのでしょう。

ミルは「第１章　総説」で、倫理学における直覚派と帰納派について言及しています。両派とも同じ道徳法則をほぼ一致して認めているのですが、違う点は、直覚派が道徳の原理は先天的に明らかであると主張するのに対して、帰納派は正邪の区別は観察と経験の問題であると主張する点にあります。直覚派とはカントの道徳哲学であり、帰納派とは功利主義以外の経験主義的な道徳論を指しています。その上で彼は、両派の主張の根底には単一の基本原理がなければならず、その単一の基本原理こそ「功利（最大幸福）の原理」だと言います。たとえ、功利の原理を道徳の根本原理だと認めない学派であっても、道徳の細部にわたる問題を考えるときには、行為が幸福にどういう影響を与えるかを考慮しているはずだと言うのです。

ミルは、どんな先天的道徳論者にとっても、功利主義的論証を欠くことはできないと言います。そして具体的に、カントの『道徳形而上学』における道徳的義務の第一法則すなわち「あなたの行為の準則（これはカントの言葉では「格率」でしょう）が、すべての理性的存在（人間）によって法則として採用されるように行為しなさい」という命題に触れ、この命題が示しているのは、「不道徳な準則（格率）を採用した結果については、誰も望まないだろう」ということにすぎないと言っています。つまり、ある行為を決定する際には、必ずその行為が望まれる行為であるか、すなわち幸福をもたらす行為であるかどうかを考慮していると言うのです。

快楽の質的な差異とキリスト教の黄金律

「第２章　功利主義とは何か」で、ミルは、古代においても、快楽主義を唱えたエピクロス派が求めた快楽が決して動物的・肉体的な快楽ではなく、人間的・精神的な快楽であったにもかかわらず、「豚」と侮蔑された例を出して、功利主義者たちも精神的な快楽の方が肉体的な快楽よりも優れていることを認めているにもかかわらず、同様に扱われていると述べています。ただし、功利主義者（ベンサム主義者）たちが精神的な快楽が優れているとした理由は、快楽計算における永続性や安全性、低費用性などの外的利点に基づくものであり、内的本性に基づくものではなかったことは不合理だったと、ミルも認めています。

こうして彼は、快楽には量のほかに質的な差異があることを認め、非常に有名な言葉―「満足した豚であるより、不満足な人間である方がよく、満足した愚者であるより不満足なソクラテスである方がよい」と述べるのです。哲学史家の中には、これを以ってミルは功利主義を修正したと言う人もいますが、私はそれほどの意味はないと思っています。というのは、ミル自身がこの直後に「功利主義の基準は行為者自身の最大幸福ではなく、幸福の総計の最大量である」と言っているからです。つまり、幸福の量に言及しているのです。私は「満足した豚…」という表現は、功利主義の印象をよくするための彼一流の修辞法だったのではないかと思っています。

この後、彼は「高貴な人間は幸福なしでやっていける」という批判に対して、英雄たちが自分の幸福を放棄したのは、同胞たちに自分と同じような運命をたどらせたくなかったからであり、もし自己犠牲が何の成果ももたらさなかったとしたら、果たして犠牲になったろうかと反論しています。英雄たちの自己犠牲は、他人の幸福への献身のためなのです。こうして彼は、功利主義が正しい行為の基準とするのは、行為者個人の幸福ではなく関係者全体の幸福であるとして、次のような印象的な言葉を述べます―「ナザレのイエスの黄金律の中に、われわれは功利主義倫理の完全な精神を読み取る。おのれの欲するところを人に施し、おのれのごとく隣人を愛せよというのは、功利主義道徳の理想的極致である」。キリスト教の黄金律や隣人愛が功利主義の理想であるとするのはやや通俗的な感じもしますが、これも功利主義の印象をよくするための表現なのでしょう。

ミルの現実主義

カントの道徳形而上学に対抗するために、ミルは功利主義の理想的側面にしばしば言及しますが、彼が本当に言いたいことは、功利主義の現実的側面にほかなりません。動機について、彼ははっきりと次のように述べています―「溺れている同胞を救う者は、道徳的に正しいことをしているのであって、その動機が義務から出ていようと報酬目当てであろうと関係ない。自分を信頼している友人を裏切る者は、たとえ、もっと大きい恩を受けた別の友人に奉仕するためであっても、犯罪者なのである」。さらに、彼は、幸福の倍増が功利主義の目的であるとしても、それが要求されるのは自分の行動が社会全体の利益に影響を及ぼすような人だけであって、たいていの人は私的な功利、ごく少数の人々の利益や幸福を考えておけば十分だと言っています。したがって、「よい行為の大部分は、世界の利益のためではなく、世界の善の内容を構成する諸個人の利益のために行われる」のです。ミルの功利主義はベンサムに比べて、公共性が高いと思われがちですが、個人や身近な人々の幸福を基本にしている点では同じなのです。

さらに、ミルの現実主義的な傾向は「嘘をつく」という行為に関しても見られます。「嘘をつく」という行為は、それがわざとでなくても、言葉に対する信用を失わせ、文明や道徳その他の人間の幸福を妨げるものですが、この準則についても「例外」が認められると彼は言います。たとえば、ある事実を伏せておくこと［犯罪者に情報を知らせないこと、重病人に病状を伝えないこと］が、誰かを不当な大災害から救うような場合、しかも、拒絶するという消極的行為だけで伏せることができる場合には、「嘘をつく」ことが許されると言うのです。もちろん、このような例外は最低限にとどめなければなりませんが、功利の原理はこのように真実を伏せたときの利益と知らせたときの利益を比較してみて、どちらが大きいかを明らかにすることに役立つのです。

「嘘をつく」ことに対するカントの見解

ここで、「嘘をつく」ことに関してカントがどのように考えていたかについて触れておきましょう。加藤尚武は『倫理学の基礎』（1993年）で、カントが「人間愛からなら嘘をついてもよいという誤った権利について」（1797年）で、「われわれの友人を人殺しが追いかけてきて、友人が家の中に逃げ込まなかったかとわれわれに尋ねたとき、この人殺しに嘘をつくことは罪であろう」と述べているのを紹介しています。カントの主張は次のようなものです。まず、「いない」と嘘をつけば友人が助かり、「いる」と真実を告げれば友人が殺されるという関係は成り立ちません。そこには因果関係はないのです。また、私が真実を語ることは「私が友人を殺す」ことと同じ意味にはなりません。さらに、私が嘘をつけばその結果に責任を取らねばなりませんが、真実を語ったときはその偶然的な結果の責任を負うことはありません。要するに、誠実（嘘をつかないこと）は絶対的な義務であって、これに少しでも例外を認めると、義務の法則は動揺して役に立たなくなるというのです。

この「道徳法則は例外を認めない」という見解は、カントが道徳法則を自然法則と類比的に考えていることから、十分にうなずけるところですが、加藤が「アンネ・フランクの家を調べに来たナチス側の人間に、カントは「ユダヤ人はいない」と嘘をつかないかもしれない」と言うとき、私は少なからず衝撃を受けてしまいました。ただ、加藤も「カントだって「ここにユダヤ人はおりません」と言うだろう」と言っていますが、「カントはそれが人を助けるためだから許されるとは考えないで、その嘘もまた罪だと考えるのではないか」と推測しています。この問題はガンの告知などの医療倫理とも関係してきますが、結果を重視する功利主義が柔軟に対応するのに比べて、動機を重視するカント哲学が融通の利かない教条主義に陥る傾向があることは否定できないでしょう。

『倫理学の基礎』の「まえがき」で加藤は、この本の意図を次のように述べています。

「ミルの功利主義的自由主義の限界を明らかにすることが、20世紀の英米の倫理学が行ってきた主要な仕事であり、ドイツ、フランスの倫理学は、英米の倫理学に後れを見せないように体裁を取り繕っているという状況である。カントがヒュームを乗り越えているという伝説を信じる人は、ドイツにも少なくなったが、日本にはまだたくさんいる。…」

私自身も日本の高校の「倫理」の授業では、カント道徳哲学に比べて功利主義が軽視される傾向があることは実感していますので、加藤の見解には賛同できます。それゆえ、両者を対等に評価することが本章の目的の１つなのです。なお、加藤は「倫理学は、問題が発生したときの用心に解決の型を用意しておかなくてはならない。このような用意のことを決疑論（casuistry）と言う。倫理学は社会的決疑論である」と言っていますが、このことについては、次節の「トロッコ問題」において検討するつもりです。

同胞と一体化したいという欲求（利他心）

さて、話をミルに戻しましょう。「第３章　功利の原理の究極的強制力について」で、彼は外的強制力と内的強制力について論じています。外的強制力とは同胞への共感と愛情であり、神への愛と畏敬の念です。また、内的強制力とは人類の良心から発する感情です。世間には、道徳的義務の中に先験的な事実（「物自体」の領域に属する客観的な事実）を認める人の方が、この義務をまったく主観的なもの（人間の意識の中にだけ存在するもの）と考える人よりも、道徳的義務に従いやすいと信じる傾向がありますが、ミルは、道徳的感情はそれが先天的なものではなく後天的なものであっても、その自然さに違いはないと言っています。

この自然的な道徳的感情が、人類の社会的感情の根底つまり「同胞と一体化したいという欲求」なのです。他人と協力し、個人の利益ではなく集団の利益を行為の目的として掲げることは、人々にとって日常的な事柄です。人々が協力している限り、そこには他人の利益は自分の利益だという感情があります。社会連帯が進み、社会が健全に成長すれば、誰もが他人の福祉にますます強い関心を抱くようになるのです。誰もが本能的に、自分は当然他人に配慮する存在だと考えるようになり、他人の善は誰にとっても当然注意を払うべきものとなります。この感情が「利他心」なのです。この一体感はたいていの人の場合、利己的感情よりはるかに弱く、まったく欠けている人さえいるのですが、もっている人にとっては自然的感情そのものであり、なくてはならない属性なのです。この確信が、最大幸福道徳の究極的な強制力なのです。

「功利の原理」は証明できない

「第４章　功利の原理はどう証明すればよいか」では、究極目的あるいは第一原理は証明できないことが述べられます。誰もが自分の幸福を望んでいるがゆえに、幸福は善であり、したがって、全体の幸福はすべての人の総体にとって善なのです。金銭や権力、名声を望むことは、音楽を愛好することや健康を望むことと同じく、幸福を望むことなのです。これは、徳も同じことで、徳を意識することが快楽であり、徳の欠如を意識することが苦痛であるために、徳を求めるのです。幸福こそ人間の行為の唯一の目的であり、幸福の増進はあらゆる人間行為を判断する判定基準なのです。したがって、幸福こそ道徳の基準でなければならないのです。これは、証明することもできず、また証明する必要もない自明の真理すなわち「公理」ということでしょう。

正義と不正

「第５章　正義と功利の関係について」でミルは、「功利」や「幸福」が正邪の判定基準であるという学説がなかなか認められなかった理由の１つは、「正義」の観念からきていると言います。「正義」は絶対的なものであり、観念上は「便宜（功利）」と対立するものとして、自然の中に実在しているに違いないと考えられてきました。実際には、正義の命令は「社会全体の便宜（功利）」の分野と部分的に一致しているのですが、正義という主観的な感情は便宜の感情よりはるかに強く命令するので、正義は便宜とは別の起源から出てきていると、人々は思い込んでしまうのです。

そこでミルは、正義や不正に共通する属性について、世論が正義と不正を区分している行動様式や諸制度を順番に検討していきます。第１に、個人的自由や財産などの法律上の権利について言えば、他人の法律上の権利を尊重することは正しく、侵害することは不正であることになります。しかし、法律が常に正しいというわけではなく、不正な法律もありますから、法律は正義の究極的な基準ではありません。そこで、第２として、不正とは道徳的権利の侵害であるということになります。さらに、第３として、世間で正しいと思われているのは、誰もが自分に相応しいものをもつことであり、不正とは不当な善を得たり、不当な悪を押し付けられたりすることです。これが一般の人たちが抱いている一番明確で強固な「正義」の観念でしょう。

第４に、誰かの信頼を裏切ること、約束を破ることは明白な不正でしょう。第５に、誰もが認めるように、不公平は正義に反します。この「公平」の観念と結びついているのが「平等」の観念です。平等の観念は正義の構成要素ですが、人によって考え方はまちまちです。たとえば、共産主義者の間でも、生産物を厳密な平等原理以外の原理で分けるのは不正だと考える者もいれば、一番貧しい者が一番多く受け取るべきだと考える者もおり、また、人より多く働いたり、社会にとって人より価値ある仕事をした者が、より多くの分け前を受け取るべきだと考える者もいるのです。つまり、平等の場合、正・不正の観念は人によってまちまちであり、しかもその内容は各人の功利の観念と一致しているのです。最後に、ミルは「正義」の語源が「法律を守ること（遵法）」であることに触れて、「正義」の観念には「法律による強制」という思想が含まれていると言っています。

正義の拘束力と正義の感情

続けてミルは、正義とその他の道徳を区別し、前者を完全な拘束力をもつ義務、後者を不完全な拘束力をもつ義務と呼んでいます。より厳密に言えば、完全な拘束力をもつ義務とは、人間に義務に対応する権利をもたせるような義務であり、不完全な拘束力をもつ義務とは、何の権利も生まない道徳的拘束力です。つまり、正義には個人の権利が含まれるのです。正義以外の道徳、たとえば寛大や恩恵に対しては、誰も道徳的な権利をもちませんが、正義は、たんにすることが正しく、しないことが間違っているというだけでなく、ある個人が自分の道徳的権利として、正義を私たちから要求できるのです。このように義務に権利が対応していることが、正義の観念を構成する特徴的な要素なのです。

次にミルは、正義の感情の要素として、加害者を罰したいという欲求と、１人またはそれ以上のはっきりした被害者がいるという知識または確信を挙げています。そして、加害者を罰したいという欲求は、自己防衛の衝動と共感の感情から自然に生まれたものだと言っています。人間は知性が優れているので、自分と社会が共同の利害で結ばれていることを理解できます。そこで、社会全体の安全を脅かす行動は、どれも彼の安全を脅かし、彼の自己防衛本能を呼び起こすのです。この知性が人間全体への共感力に結びつくと、人間は自分の種族、祖国、または人類という集団の観念を愛するようになり、これらを傷つけるような行為があればただちに共感本能が目覚め、抵抗に立ち上がるのです。だから、正しい人たちは、取り立てて自分に害が及ばなくても、社会に危害を加えるものに憤慨するのです。前述のカントの言葉―「あなたの行為の準則が、すべての理性的存在によって法則として採用されるように行為しなさい」という提案も、行為の善悪を良心的に決定するには、行為者は「人類全体のため」を考えていなければならないということであり、実は同じことを言っているのです。

「自己防衛本能」と「共感」

以上のことを、ミルは次のように要約しています。正義の観念には２つの前提があります。１つは行動の準則で、これは人類に共通で人類の善を目指すというものです。もう１つはこの準則を認める心情です。この心情は、この準則を犯すものを処罰しようとする欲求です。この正義の感情は、自分または自分が共感をもつ人に対する損害に反撃し仕返ししようとする動物的欲望が、人類の共感能力の拡大と人間の賢明な利己心の考え方によって、すべての人間を包括するように広がったものなのです。この正義の感情は、賢明な利己心によって道徳的となり、共感能力によって人を感動させ、自己主張を貫く力をもつようになるのです。

ミルの主張は、次のように考えるとわかりやすいかもしれません。正義の感情の本体は「自己防衛本能」です。人間にとって最も重要な利益（功利）は「安全」です。人間にとって自分の「安全」が守られるということが最も基本的な「権利」なのです。その安全が侵害されたと感じたとき、加害者を罰したいという欲求すなわち「自己防衛本能」が働きます。これは自分の利益を守りたいという「利己心」にほかなりません。しかし同時に、人間は自分と社会が共同の利害で結ばれていることを理解しています。社会全体の利益は自分の利益でもあるのです。これが「共感」の感情（能力）です。この共感能力が及ぶ範囲は、まずは身近な人々から始まり徐々に大きな集団へと広がって、最終的には「人類全体の利益」へと結びつくのです。このように正義の感情は、「自己防衛本能（利己心）」と「共感能力（利他心）」という２つの源泉をもつのです。

「正義」は特別な「社会的功利」である

私たちはよくこう聞かされる、とミルは言います。「功利」は不確実な基準であり、「正義」の下す命令こそ数学の証明のように確実である、と。しかし、何が正しいかは、何が有用かと同じく、多くの異見があり、多くの議論があるのです。この混乱から抜け出すには功利主義の方法しかありません。こうして、彼は、「功利を基礎とする正義」が一切の道徳の主要部分だと結論づけています。以下、ミルの主張をまとめておきましょう。

正義の本質は、個人の権利と人類の福祉を守ることです。したがって、正義とは「他人を傷つけるな」という道徳律のことであり、強い拘束力をもつのです。また正義には、各人に相応のものを、つまり悪には悪を、善には善を与えるという原理が含まれており、したがって、正義の義務は「公平」を実現することなのです。実は、「功利（最大幸福）の原理」はこの「公平」の観念をすでに含んでいます。「功利（最大幸福）の原理」は、１人の幸福の程度が他人の幸福と等しいときには、どちらも同等に尊重されるという条件を前提にしているからです。ここでミルは、ベンサムの言葉―「誰でも１人として数え、誰も１人以上に数えてはならない」を引用しています。

正義と便宜（功利）とは基本的には変わらないのです。ただ、正義は他の便宜（功利）に比べて、義務的拘束力が飛びぬけて強いのです。なぜなら、正義には、他の便宜（功利）には感じられない、強い憤りの感情が感じられるからです。正義以外の人間の快楽や便宜（功利）を促進するだけの観念に付随する感情はもっと穏和なのですが、正義には自己や社会の安全が脅かされたとき、加害者を罰したいという強い憤りの感情が付随するのです。この憤りの感情が付随することが、正義を他の功利から区別しているのであって、正義が功利とまったく別の原理に基づいているわけではないのです。要するに、「正義」は次のような「社会的功利」なのです。それは他のどんな功利よりも格段に重要で、絶対的に命令的であり、強い憤りの感情によって保護された「社会的功利」なのです。

ベンサムとミル

さて最後に、ベンサムとミルの功利主義の特徴について簡単にまとめておきましょう。「功利性の原理」の基本的な考え方は、まず「人々に快楽または幸福をもたらす行為は善であり、苦痛または不幸をもたらす行為は悪である」というものです。そして次に、社会にとっての善として「最大幸福の原理（最大多数の最大幸福）」が唱えられます。したがって、功利主義はもともと個人の幸福よりも社会全体の幸福を優先する傾向が強いのですが、同時にベンサムは、社会全体の幸福は個人の幸福の総計であるという「快楽計算」を強調したために、功利主義は個人の量的な快楽を重視する低俗な倫理という印象を与えることになってしまいました。

またベンサムが、道徳的感情を自分に関するものと他人に関するものに分け、前者を名声の快楽と悪名の苦痛（これが「道徳的制裁」の快楽と苦痛と呼ばれます）、後者を好意（慈愛）の快楽と苦痛として並列したことは、功利主義道徳の目的が個人の幸福よりも社会全体の幸福の増進にあることをあいまいにしてしまったように思います。この後ベンサムは、「最大幸福の原理」に最も相応しい動機は純粋に社会的な動機であり、それは「名声への愛」ではなく、「好意（慈愛)」であると言っており、この「好意（慈愛)」は実質的にはヒュームの「共感」と同じ内容なのですが、全体として「最大幸福の原理」は道徳的強制力が弱いという印象を与えてしまったように思います。

これに対して、ミルはカントの理想主義的な道徳哲学を十分に意識して、まず功利主義は快楽の量だけでなく質的な差異を認めていること、また、功利主義が目指すのは個人の幸福ではなく社会全体の幸福であること、特に功利主義道徳の理想はキリスト教の黄金律や隣人愛であることを強調します。その上で彼は、功利主義の現実的側面として、動機よりも結果こそが重要であること、道徳法則も状況に応じて例外が認められること、どちらの行為を選択するか判断に迷うときにこそ「功利性の原理」が役に立つことなどを述べています。そして、ミルに最も特徴的なのは、ヒュームの説いた「共感」を前面に出してきたことです。彼はこの「共感」を「同胞と一体化したいという欲求」と言い換えて、他人の利益と自分の利益とは同じであるから、他人の幸福に常に注意を払わなければならないという「共感」の感情（利他心）こそ功利主義道徳の究極の強制力であると言っています。こうしてミルは、ベンサムに感じられていた個人主義的な傾向を完全に取り除いたのでした。

最後にミルは、「功利」と対立する概念と思われていた「正義」について、「正義の命令は社会的功利と一致している」と主張します。その根拠として、「正義」の感情は「加害者を罰したいという強い欲求」であり、この感情は「自己防衛本能」と同胞と一体化したいという「共感」の感情という2つの源泉をもつこと、また「正義」の義務は「公平」を実現することであり、個人を公平に扱うことは「最大幸福の原理」においてすでに前提されていることが挙げられています。こうしてミルは、道徳法則は理性の命令（義務）であり絶対的な強制力をもつとするカント道徳哲学に比べて、功利主義道徳の強制力は弱いと思われていた点を克服しようとしたのでした。

5　トロッコ問題

現代の倫理と「決疑論」

前節で、加藤尚武の『倫理学の基礎』を引用した際、「決疑論（casuistry）」という言葉が出てきました。そこで、加藤は「倫理学は、問題が発生したときの用心に解決の型を用意しておかなくてはならない。このような用意のことを決疑論と言う。倫理学は社会的決疑論である」と言っていました。この「決疑論」はもともと中世スコラ哲学の倫理思想における言葉で、道徳法則が適用される模範的な事例（case）から出発して、その適用があいまいな事例に対して、類推を用いて判別するというものです。具体的には、ある道徳法則が適用できる事例と適用できない事例との「線引き」をするというものでした。

近代になりスコラ哲学の影響が低下してくるととともに、この言葉は忘れられていましたが、現代になって、科学技術の発展や社会の高度化に伴い、倫理的諸問題が複雑になってくると、再び注目されるようになってきました。個別の具体的事例に即した解決策が求められるようになってきたからです。たとえば、以前なら人の「死」は自明のものでしたが、医療技術の発達により、臓器移植のために「心臓死」と「脳死」との区別を明らかにしなければならなくなってくると、人の「生」と「死」をどこで「線引き」するかが重要な課題になってきたのです。こうして、倫理学は道徳の起源や原理を探求する学から、具体的・実践的な事例に対する解決策を探究する学、つまり「問題が発生したときの用心に解決の型を用意しておく学」すなわち「決疑論」としての性格を強めてきたのです。

フットの問題提起…ある人を助けるために他の人を犠牲にすることは許されるか

このような具体的な問題解決の事例として、「トロッコ問題」という思考実験があります。これは、1970年代から、哲学者だけでなく様々な分野の学者たちによってしばしば言及される倫理的課題、「ある人を助けるために他の人を犠牲にすることは許されるか」という課題を扱ったものです。この問題を最初に提起したのは、イギリスの女性哲学者フィリッパ・フットで、彼女は1967年に、次のような問題を提起しました。

[事例 1]　彼はブレーキの利かない暴走路面電車（トラム）の運転手であり、その電車を１つの線路から他方の線路へと方向転換させることができる。一方の線路には５人の作業員が働いており、他方には１人の作業員が働いている。線路上のどの人も、必ずひき殺されることになっている。このとき運転手はどうすればよいか。

[事例 2]　群衆がある犯罪を行った犯人を見つけるように裁判官に要求し、そうしなければ地域の特定の地区に血なまぐさい報復を行うと脅かしている（群衆は５人を人質にしている）。本当の犯人はわかっていないが、流血を避けるには、裁判官は無実の人を犯人にでっち上げて、処刑するしかない。

このような事例をいくつか提示した後、フットは次のように問います。

「私たちの大半の者が無実の人を犯人にでっち上げることができるという考えにぞっとするのに、運転手の方は人数の少ない線路の方へ進路を変えるべきだ、と私たちが躊躇なく言いそうなのはなぜか。これが問題なのである」（岡本裕一朗『世界を知るための哲学的思考実験』）。

トムソンの「トロッコ問題」

1985 年になると、アメリカの女性哲学者ジュディス・ジャーヴィス・トムソンがこの問題の新しいバージョンを作成しました。

[事例 3] あなたは散歩していて、暴走する路面電車を目撃した。すぐそばに電車の方向を変えるための切り替えスイッチがある。あなたが何もしなければ、電車はそのまま進んで、5 人を引き殺す。一方、切り替えスイッチを操作して電車を待避線に向ければ、犠牲者は待避線にいる 1 人だけで済む。

[事例 4] あなたは路面電車の線路をまたぐ歩道橋の上に立っている。前方から暴走する路面電車がやってくる。近くには切り替えスイッチはないし、待避線も存在しない。線路は歩道橋の下をまっすぐ延びていて、その先に 5 人の作業員がいる。5 人の命を救うためには、何か重いものを線路上に落として電車を止めるしかない。たまたまあなたの隣に太った男がいて、その太った男を突き落とせば電車は止まり、5 人は助かるかもしれない。あなたは太った男を突き落とすべきだろうか。

この［事例３］と［事例４］を比較して、トムソンは「なぜ切り替えスイッチを動かすことはよくて、太った男を突き落とすことは悪いと感じるのか。そこにどんな違いがあるのか」と問題提起しました。基本的にはフットの問題提起と同じですが、この切り替えスイッチの事例と歩道橋の事例がいわゆる「トロッコ問題」と言われ、哲学者に限らず多くの学者たちが様々な意見を述べました。また、2003年にハーバード大学が5,000人を対象にしてオンラインで「倫理観テスト」を実施しましたが、そのうち、電車の進路方向を変え、１人を犠牲にして５人を救うこと（このときの設定は、突然倒れた運転手に代わって、乗客が進路方向を変えるというものでした）を支持したのが89％、歩道橋から男を突き落として５人を救うことを支持したのはわずか11％という結果になりました。ただし、なぜそのような答えに至ったかを論理的に説明できた人は少なかったようです。つまり、多くの人は「直観」でそのように感じたのです（トーマス・カスカート『「正義」は決められるのか？』）。

カスカートの「トロッコ裁判」…検察側の主張

あなたは［事例３］の切り替えスイッチを動かして１人を犠牲にするという行為は正しいと思いますか。正しいと思うとしたら、その理由は何ですか。またもし、あなたがその行為は正しくないと思うとしたら、その理由を説明できますか。この「トロッコ問題」を推理小説風に仕立てたのが、トーマス・カスカートが著した『「正義」は決められるのか？』（2015年）という本です。この本では、［事例３］とまったく同じ状況で、切り替えスイッチを動かした女性が裁判にかけられ、陪審員が検察側の主張、弁護側の主張、参考人の主張などの様々な意見を聞くことによって、評決を行うという設定になっています。あなた自身が陪審員になったつもりで考えてみてください。まずは、検察側の主張から見ていきましょう。なお、カスカートの主旨は変えていませんが、言い方は私なりに変えてあります。

検察側は、切り替えスイッチを動かして電車を待避線に引き入れれば、1人の男性が死ぬであろうことは被告人もわかっていたはずだと言います。その上でスイッチを動かしたのだから、被告人の行為は殺人罪に当たると主張します。ただし、無罪であるとする弁護側の主張にも一定の理解を示します。弁護側が無罪を主張する最大の根拠は、功利主義でしょう。1人を犠牲にするか5人を犠牲にするかという二者択一の選択を迫られたとき、1人を犠牲にすることを選択することは「最大幸福の原理」に適っているように思われるからです。しかし、歩道橋から太った男性を突き落とすことは認められない（有罪である）のに、切り替えスイッチを動かして1人の男性を殺すことは認められる（無罪である）というのは矛盾していないでしょうか。

1人の命はたとえ5人の命を救うためであっても奪われてはならない。これは権利の問題なのです。カントによれば、「他人をたんなる手段として用いてはならない。つねに、目的として扱わなければならない」とされます。人には様々な権利があり、私たちはそれを尊重する義務があるのです。この「義務論」の倫理観からすれば、功利主義の考え方は人の権利を踏みにじるものです。さらにカントは「普遍的な法則になってほしいようなルールに従って行動せよ」とも言っています。「1人の命は5人の命を救うためなら犠牲にしてよい」というのは普遍的な法則と呼べるでしょうか。人は神ではありません。他人の命を奪う権利など誰にもないのです。助かった5人にすれば被告人は命の恩人でしょうが、亡くなった男性とその家族にとっては殺人犯以外の何ものでもないでしょう。最大幸福の原理は「多数派による独裁」になってはならないのです。この検察側の主張は、功利主義よりも権利（人格の尊厳）を尊重すべきであるという論理でしょう。

弁護側の主張

これに対して、弁護側の陳述は次のようなものです。先ほど、ハーバード大学のアンケート結果について触れましたが、１人の命を犠牲にして５人の命を助けるという同じ行為でも、突然倒れた運転手に代わって乗客が進路方向を変えるという事例では89％の人がこれを支持し、歩道橋から男を突き落として５人を救うという事例を支持したのはわずか11％という結果でした。この違いの説明として比較的多かったのが、功利主義とカントの義務論を別々に当てはめるというものでした。つまり、乗客が進路方向を変える事例には功利主義の最大幸福の原理を適用し、歩道橋から突き落とす事例には義務論を適用して、他人の命を手段として用いてはならないと主張するのです。切り替えスイッチを動かすという本事例も、乗客が運転手に代わって進路方向を変えるという事例とほぼ同様のケースと考えられますから、本事例にも功利主義の最大幸福の原理が適用されると考えてよいでしょう。このことは常識的な判断として妥当するように思われます。

しかし、すぐに気づくでしょうが、最大幸福の原理を適用できる事例とカントの義務論を適用しなければならない事例とをどのように区別したらよいのでしょうか。その判断基準は何なのでしょう。ある人は、相手に直接危害を加えたかどうかの違いであると考えました。電車の進路方向を変えることは犠牲者に対して直接何かをしたわけではありませんが、歩道橋の事例では、太った男をその手で直接突き落としたのでした。また、進路方向を変える事例では、すでに存在する危険（暴走する電車）を他の方向に向けたにすぎませんが、歩道橋の事例では、人を歩道橋から突き落とすという新たな危険を作り出したと考えた人もいました。また、ある人は歩道橋の事例のバージョンとして、太った男はちょうど歩道橋の落とし戸の上に立っていて、あなたがスイッチを動かせば落とし戸が開いて、わざわざ突き落とさなくても同じ結果になるという事例を考えました。それであれば、相手に直接手を下すわけではなく、動作としては、切り替えスイッチを動かすのも、落とし戸のスイッチを動かすのもそれほど変わりはありません。では、進路方向を変えるスイッチを動かすことが許されるように、落とし戸のスイッチを動かすことも許されるのでしょうか。

「二重結果の原理」

弁護側の主張として最も説得力があるのは、「二重結果の原理」でしょう。この原理は、中世の神学者トマス・アクィナスが「自己防衛のための殺しは許される」と説いたのが最初だと言われており、「道徳的によい行動がたまたま悪い副作用（結果）を生むのは仕方がないけれど、よい結果を引き起こそうとわざわざ悪い行動をするべきではない」という考え方です。この考え方によれば、スイッチの事例は、５人の命を助けるために電車の進路方向を変えたら、たまたま１人を犠牲にするという副作用を生んでしまったということであり、これは許される行為です。しかし、歩道橋の事例は、５人の命を助けるためとはいえ、明らかに殺人を犯すことになり、これは許されない行為なのです。

あるいは、「二重結果の原理」とは「意図された結果に対しては責任を負わなければならないが、予期はされていたが意図されてはいなかった結果に対しては責任が免除される」という原理だとも言えます。この場合の「意図する」とは「積極的にかかわる」という意味です。犠牲者が１人出たことに対して、歩道橋の事例では、意図的に関与した結果ですから、責任を負わねばならず、スイッチの事例では、犠牲者が出ることは予期できましたが、犠牲者が出るように積極的に関与したわけではないので、責任は免除されると考えられるのです。

さらに、「よい結果を得るために、悪い結果を引き起こしてもよい」

条件として、カスカートは次の４つを示しています。

① その行為自体は、道徳的によいことであるか、少なくとも中立である。

② 行為者は積極的に悪い結果を望んでいない。もしも悪い結果を引き起こさずによい結果が得られるなら、そちらを選ぶべきである。

③ よい結果は、少なくとも悪い結果と同程度には、行動の直接的結果でなくてはならない。言い換えれば、よい結果は行動によって引き起こされねばならず、悪い結果によって引き起こされてはならない。そうでなければ、行為者は悪い結果を手段として用いることになる。これは許されてはならない。

④ よい結果は、悪い結果を相殺するに足るだけの効果をもたねばならない。

この４つの条件の中で最も重要と考えられるのは、③の「行為者は悪い結果を手段として用いてはならない」というものでしょう。スイッチの事例と歩道橋の事例との一番の違いは、スイッチの事例では、１人を犠牲にすることを［意図的に］手段として５人を助けたのではなく、たまたま不幸な結果として犠牲者が出てしまったと考えられますが、歩道橋の事例では、明らかに１人を犠牲にすることを［意図的に］手段として用いて５人を助けたわけですから、責任は免れないのです。

「二重結果の原理」の問題点

しかし、この「二重結果の原理」についても、問題がないわけではありません。悪い結果はたんに予期されていただけであり、決して意図されたものではない、あるいは、よい結果は決して悪い結果を手段として用いて得られたのではない、とはっきり言えるのかという問題です。つまり、「意図していた」と「予期はしていたが、意図はしていなかった」とを、はっきり分けることができるのかという問題なのです。これについて、フットは次のような事例を挙げています。

［事例 5］ 洞窟を調査していた探検隊が洞窟を脱出しようとして、軽率にも太った男を先頭にしてしまった。そのとき、太った男が出口で詰まってしまい、隊員たちは洞窟から出られなくなってしまった。ところが、幸運にも隊員たちはダイナマイトを持っており、これで太った男を爆破してしまえば、彼らは脱出することができる。彼らは仕方なく太った男を爆破するが、しかし彼らの意図は決して男を死に至らしめることではなく、男の死は予期できたとしても、あくまでも出口から障害物を取り除くことにあったのである

（岡本裕一朗『世界を知るための哲学的思考実験』）。

隊員たちは、自分たちが意図したのは、あくまでも出口から障害物を取り除くことであって、その障害物がたまたま太った男だったのであり、決してその男を死に至らしめることを意図したのではなかったと言います。また、彼らは、男の死を手段として用いて洞窟からの脱出を図ったのではなく、あくまで出口から障害物を取り除いたにすぎず、たまたま男が死んでしまったという不幸な結果が生じただけだと主張します。しかし、あなたは、この意図したのは「障害物を取り除くこと」であって、「男を死に至らしめること」は予期はされたが、意図されたことではなかったという主張を受け入れることができますか。ダイナマイトを使って「障害物を取り除くこと」がそのまま「男を死に至らしめること」なのではないでしょうか。このように、「二重結果の原理」は［自分が招いてしまった］悪い結果に対する責任逃

れのための言い訳になってしまう可能性が常にあるのです。

「二重結果の原理」と緩和医療

とはいえ、皆さんのこの裁判に対する判決はほぼ出ているのではないでしょうか。ほとんどの人が、切り替えスイッチを動かした女性は無罪であると判断すると思います。もし、彼女が有罪になるとしたら、同じ立場に置かれた人は誰も５人を助けようとは思わないでしょう。ハーバード大学が実施したアンケート結果を見ても、事例はやや異なりますが、無罪とするのが妥当な判断だと思われます。そもそも、この「トロッコ問題」の設定が、「１人を犠牲にして５人を助けるという行為は、いかなる条件のもとで許されるか（または、許されないか）」というものだからです。先ほど、「二重結果の原理」が適用される条件、つまり「よい結果を得るために、悪い結果を引き起こしてもよい」条件として、カスカートが４つの条件を示していることに触れましたが、実はこの４条件は、日本緩和医療学会の「苦痛緩和のための鎮静に関するガイドライン（2010 年版）」が示している４条件とほとんど同じなのです（なお、日本緩和医療学会では、「二重結果の原理 principle of double effects」を「二重効果の原則」と呼んでいます）。

緩和医療では、患者の苦痛緩和という好ましい効果に、意識の低下や生命予後が短縮する可能性などの好ましくない効果が伴います。苦痛緩和のためにはモルヒネの投与が考えられますが、モルヒネを投与すれば、意識が低下し死期を早めることになるからです。したがって、「医療事故」を避けるためにも、患者がどういう状態のときに、モルヒネをどれだけ投与したらよいかのガイドラインが必要になってくるわけです。さらに、この緩和医療の延長線上には、「安楽死」が認められる条件などの問題もあるでしょう。これらのガイドラインには、医療従事者が患者のためを思って行った医療行為が、犯罪に問われることがないように条件を明確にするという目的があるのです。

日本人の傾向

さて、話をカスカートの「トロッコ裁判」から「トロッコ問題」に戻しましょう。切り替えスイッチの事例では、多くの人が、５人を救うために電車の進路方向を変えて１人を犠牲にすることは正しい行為であると判断しています。しかし、その行為が正しいからといって、その行為を必ずするとは限らないでしょう。「トロッコ裁判」の被告人の女性が勇敢な市民として表彰されたという設定を見ても、彼女の行為は普通の人にはできない（いいか悪いかは別にして）特別な行為だったことは間違いないでしょう。ある行為を正しいと認めることと、その行為をすることとは別の話のように思われます。

本節でもたびたび引用した岡本裕一朗は『世界を知るための哲学的思考実験』の中で、次のように述べています。

「たとえば、日ごろの講義の中で「スイッチ」ケースを議論してみると、たいてい「５人のために１人を犠牲にする」という答えが返ってくる。実際、アメリカでのアンケート報告として、８割以上の人がスイッチを引いて進路を変える方を選択する、と言われる。ところが、日本においてこの事例を取り上げると、必ずしもその結果にはならない。むしろ学生から発せられる声として、「スイッチ」ケースは傍観者の立場なので、状況にはかかわりたくない、という答えが少なくないのだ。散歩していて、偶然スイッチの近くにいただけなのだから、あえて状況に踏み込む必要はない（すなわち、何もしない）というのだ。下手に介入して、責任やら感情的葛藤を生み出すよりも、何もしないのがいい、というわけである」。

岡本が言うように、日本人の中に「あえて状況にかかわりたくない」という傾向があるという指摘は、別の資料にも見られます。それは、マサチューセッツ工科大学（MIT）メディア・ラボの研究チームが 2014 年に立ち上げた「モラル・マシン Moral Machine」という「トロッコ問題」を応用した思考実験サイトです。このサイトは「自動運転車を用いた人工知能の道徳的な意思決定に関して、人間の視点を収集するためのプラット・フォーム」で、2 人の乗客または歩行者 5 人が犠牲になるといった、自動運転車が 2 つの避けられない事故のうち 1 つの選択を迫られる状況で、あなたは「事故を観察する第三者」として、どちらのシナリオがより容認可能か判定を下す、というものです。回答者は 13 の設問に答えることになります。

このサイトには、立ち上げからわずか 4 年で、世界中から 4,000 万件もの回答が寄せられたそうです。その中で、日本人の特徴として、「助かる命の数を重視しない（数よりも誰を助けるかという質を重視する）」「乗客よりも歩行者を助ける傾向が強い」「世界で最も功利主義的でない」「介入を避ける傾向が平均よりかなり高い」などが挙げられたようです（「自律走行車は誰を犠牲にすればいいか？「トロッコ問題」を巡る新しい課題」WIRED）。

私が興味をもったのは、日本人は功利主義的でない傾向がある、つまり、助かる人数の多さは気にせず、むしろ、誰（乳幼児・子供・大人・高齢者・ペット）が助かるかを重視するという点、そして、介入を避ける（車の進路を変えずに、何もしない）傾向があるという点です。特に、「介入を避ける（何もしない）」傾向が強いという点は、岡本の指摘とも合致しています。だとすれば、「トロッコ問題」の切り替えスイッチの事例では、日本人は「電車の進路方向を変えず（何もせず）に、5 人を死なせる」ことを選ぶ傾向があるということになるのでしょうか。興味のある人は、あなたの周囲の人に聞いてみてください。「電車の進路方向を変えるべきではない」という答えが意外と多いかもしれません。

トムソンの転向

さて、岡本は前出の著書の中で、トムソンの考え方の変化について触れています。トムソンは2008年の論文で以前の見解を翻して、「1人を殺すよりも5人を死なせること」を選択すべきだと言うのです。彼女は切り替えスイッチの事例の設定を次のように変更します。それは、5人がいる線路と1人がいる線路の他に、第3の線路としてあなた自身がいる線路を加えたのです。そこであなたの選択肢は、①何もしないで、5人を死なせる、②スイッチを右に引いて、1人を殺す、③スイッチを左に引いて、自分自身を殺す、の3つになります。しかし、トムソンは③を選択しないことは許容されると言います。なぜなら、道徳はそうした自己犠牲までは要求しないからです。そして、もしあなたが③を選択しないとすれば、あなたは②を選択することはできないと言います。なぜなら、あなたが自分自身で払いたくないコストを、他の1人に払わせることはできないからです。だとすれば、あなたは①の「何もしないで、5人を死なせる」を選択する以外にないことになると言うのです。

トムソンは、この後、従来の切り替えスイッチの事例の2つの選択肢、つまり①何もしないで、5人を死なせる、②スイッチを右に引いて、1人を殺す、に話を戻します。しかし、選択肢を2つに戻したとしても、もし③があったとして、それが選択できないとすれば、②は選択できないことになります。こうして、トムソンは次のように述べるのです。

「そこで、次のように考えてはどうだろうか。傍観者が②の選択肢を選択することに、1人の作業員は同意しないし、実際同意するように道徳的に要求されてもいない、ということを傍観者は知っている、と。傍観者がもっている許容可能な代案は、①の選択肢であり、—すなわち5人を死なせることである」。

こうして、岡本は、トムソンにとって、切り替えスイッチの事例も歩道橋の事例も「１人を犠牲にせず、５人を死なせる」という同じ結果になるのだから、「トロッコ問題」は「問題」ではなくなってしまう、と言うのですが、果たしてそうでしょうか。まず、私は、トムソンの見解は間違っていると思います。自己犠牲を選択しないからといって、自分自身が払いたくないコストを他の１人に払わせることができないとすれば、そのコストを他の５人に払わせることはもっとできないのではないでしょうか。自己犠牲を選択しないことは「１人を犠牲にせず、５人を死なせる」ことの理由にはならないでしょう。「１人を犠牲にせず、５人を死なせる」ことを選択するとすれば、その理由は「自己犠牲を選択しない後ろめたさから」ではなく、岡本も指摘するように、「状況にかかわりたくないから」ではないでしょうか。それゆえ、この「トロッコ問題」は消滅したのではなく、２つの選択肢に「何もしない」という要素を加味して考察しなければ正解は得られないということが明らかになったということなのです。

「当事者」と「傍観者」

岡本も指摘するように、トムソンは「当事者」と「傍観者」の違いをかなり意識していたと思います。フットが提示した事例は、運転手や裁判官、そして医師など「当事者」がほとんどでしたが、トムソンの事例は、運転手から乗客、さらには歩道橋の上から見ている人や散歩している人へと、つまり「当事者」から「傍観者」へと立場が移っています。しかし、トムソンはこの違いの何が重要なのかについて肝心なところは気づいていなかったように思います。というのは、彼女は、「運転手が進路を変えてよいと思っている人は、ショック死した運転手に代わってハンドルを握ることになった乗客も進路を変えてよいと思うだろう」と言っているだけで、なぜそうなのかについて説明していないからです。これがトムソンの「躓(つまず)きの石」になったと思うのです。

皆さんの中には、道徳においては「当事者」も「傍観者」もそれほど違いはないのではないか、要は「人としてどう行動するか」ではないのかと思う人がいるかもしれません。その考えは非常に健全なのですが、現実的ではありません。たとえば、あなたが窃盗の現場を目撃したとします。窃盗は犯罪ですから、犯人は捕まえなければなりません。では、あなたは「人として」犯人を捕まえますか。また、あなたが犯人が逃げるのを追わなかったとすれば、それは「人として」間違った行動をしたのでしょうか。もし、あなたが警察官だったら、犯人を追わないことは職務怠慢ですから責任が問われることになります。しかし、あなたがたまたまその場に居合わせただけの人なら、犯人を追う義務もないし、犯人が逃げたことに対して責任が問われることもありません。

ここで、私が「当事者」と呼ぶのは、たんに「ある出来事に直接関係をもっている人」という一般的な意味ではなく、特に「ある行為に対して、それをする権限（権利）と能力および義務をもち、それゆえ、結果に対して責任を負う人」、つまり、運転手、裁判官、医師、警察官などの職業人を考えています。そして、「当事者」でない人はすべて「傍観者」（法律用語としては「第三者」でしょうか）です。たとえば、電車の運転手は「当事者」ですが、ショック死した運転手に代わってハンドルを握ることになった乗客は、運転に直接関係していても「傍観者」（「第三者」）です。彼にはその能力があったとしても、電車を運転する（ハンドルを操作する）権限（権利）も義務もないからです。

私は、この「当事者」と「傍観者」の区別が、道徳を考える上で非常に重要な要素となっていると思います。「当事者」と「傍観者」の最も大きな違いは「義務」を負うか負わないかです。「義務」とは、自分が置かれた立場に応じて求められる「しなければならないこと（作為）」または「してはならないこと（不作為）」です。ここで重要なのは、「義務」は「自分が置かれた立場」と結びついているということです。実生活においては、立場が変われば義務も変わります。運転手の義務、医師の義務、公務員の義務、親としての義務、国民としての義務などです。ところが、「道徳」ということになると、立場の違いを越えて「人としての義務」が問われることになります。つまり、「人としてしなければならないこと」と「人としてしてはならないこと」が問題になるのです。

しかし、この「人としての義務」というのは、わかりやすいようで非常にわかりにくい概念です。それは、具体性に乏しいからです。「運転手」や「医師」ならその業務内容は明確ですから、その業務に応じた「義務」も明確です。「親」や「国民」にしても、その立場上、「子供を養育する義務」や「納税の義務」などのように、具体的な義務がイメージできるでしょう。ところが、「人としての義務」となると、具体的なものがなかなかイメージできません。それは人が行うべき「業務（仕事）」というものがイメージできないからです。逆に言えば、人の行うべき「業務（仕事）」が見えてくれば、「人としての義務」も見えてくるのではないでしょうか。

「傍観者」に期待されること

そこで、「当事者」の為すべき業務から、「傍観者」に期待される、あるいは許される行為を導くという手法で、「トロッコ問題」を整理し直したいと思います。具体的には、次の４つの事例を再検討します。

暴走する路面電車がそのまま直進すれば、５人の犠牲者が出るという状況で、

①運転手はハンドルを操作して、待避線の１人を犠牲にすべきか。
②ショック死した運転手に代わった乗客は、ハンドルを操作して待避線の１人を犠牲にすべきか。
③散歩をしていてたまたま線路の切り替えスイッチの傍にいた人は、スイッチを操作して待避線の１人を犠牲にすべきか。
④歩道橋の上にいた人は、太った男を突き落とすことによって電車の進路を塞ぎ５人を助けるべきか。

まず、①の運転手については、その業務は電車を安全に運行するためにハンドルを適切に操作することであり、彼の義務は、もし犠牲者が出ることが避けられない場合には、犠牲者を最小限にとどめることでしょう。それは、功利主義の「最大幸福の原理」に基づくと言ってもいいし、「二重結果の原理」によって正当化されると言ってもいいですが、運転手はその業務内容からして、１人を犠牲にしても５人を救わなければならないのです。ここで、カントの義務論を持ち出しても意味はありません。その人も、運転手は５人を犠牲にして１人を救わなければならないとは決して言わないでしょう。

次に、②の事例を考えてみましょう。トムソンは「運転手が進路を変えてよいと思っている人は、ショック死した運転手に代わってハンドルを握ることになった乗客も進路を変えてよいと思うだろう」と言いました。そして、ハーバード大学が行ったアンケート調査でも、多くの人がそのように思っているという結果になりました。では、「傍観者」である乗客には何がどの程度期待されているのでしょうか。

まず、「傍観者」に期待されるのは、「当事者」が通常行っている方法で、できるだけ「当事者」と同様に振る舞うことです。つまり、この乗客に期待されるのは、ハンドルを適切に操作することです。そして次に、「当事者」に要求されるのが「強い義務」であるのに対して、「傍観者」に期待されるのは「弱い義務」であるということです。後者は誰にでもわかるでしょうが、肝心なのは前者です。この乗客(「傍観者」)には「弱い義務」だとしても、運転手（「当事者」）と同様の行動を取ることが期待されているのです。ですから、この乗客がハンドルを操作して進路を変更することは、運転手もそうするはずですから、多くの人が支持したのです。トムソンは、このこと、つまり「傍観者」に期待されるのは「当事者」と同様に行動することであるということを明確にしなかったので、混乱を招くことになったのです。

では、③の切り替えスイッチの事例における「当事者」とは誰のことでしょう。すぐに思い当たる人は少ないかもしれませんが、それは「線路作業員」です。「線路作業員」の業務も運転手と同じく、電車を安全に運行することですが、その方法はハンドルを操作することではなく、線路を管理することです。もし、実際に「線路作業員」がその場にいたら、彼が取るべき行動はポイントのスイッチを切り替えて電車の進路を待避線に方向転換することでしょう。これは基本的に運転手と同じです。したがって、散歩をしていた「傍観者」にも「弱い義務」として「線路作業員」と同様の行為が期待されるのです。トムソンはこのことに思い至らなかったので、判断基準があいまいになってしまったのです。

では、④の歩道橋の事例の「当事者」とは誰でしょう。それは「運転手」でも「線路作業員」でもないでしょう。つまり「当事者」はいないのです。したがって、「傍観者」が手本とすべき対象はありません。もし、歩道橋の上にいた人が、重い物を線路上に落とせば電車の進行を止められると判断し、５人を救うために重い石を投げ落としたのであれば、正しい行為と言えるでしょうが、それが太った男であれば、その人は人命救助ではなく殺人を犯したことになるのです。人を歩道橋から突き落とすことを業務として認めるような職業はないからです。切り替えスイッチの事例と歩道橋の事例との違いはまさにここにあったのです。

「傍観者」の心理

私は、「傍観者」であっても「弱い義務」ではあるが、「当事者」と同様の行為が期待されているという意識が常にはたらいていると思います。「傍観者」にとっては「当事者」の行動が手本となるのです。ですから、「傍観者」はある状況に直面したとき、「当事者」ならどのように行動するだろうかと考えるのです。たとえば、あなたが公園を散歩していたとき、近くでジョギングをしていた人が急に心臓麻痺で倒れたとします。そのとき、あなたは「医療関係者」ならどのように行動するだろうかと考えるのではないでしょうか。「医療関係者」ならすぐに心臓マッサージを施したり、AED（自動体外式除細動器）を探して処置をするでしょう。そして、あなたは次にこう考えるでしょう、自分にそのようなことができるだろうか、と。もし、自分の対応がまずかったために、その人が亡くなったとすれば、責任を取らなければならないのではないか、と。こうして、倒れた人にかかわることを躊躇してしまうのです。

学校での「いじめ」も同様の心理メカニズムがはたらいているのではないでしょうか。「いじめ」を目撃した子供は、「当事者」（この場合は「先生」でしょう）、「先生」ならいじめている子を注意するだろうと考えます。しかし同時に、その子を注意したら、今度は自分がいじめられるのではないか、とも考えるのです。いじめられている子はかわいそうだけれど、それにかかわることによって自分にその矛先が回ってくることを恐れてしまうのです。ある状況にかかわることによって、何らかの責任が生じてきます。いじめを注意することは、いじめている子と対決することになるのです。その責任を引き受ける自信がないなら、傍観していた方がよい。これが「傍観者」の心理でしょう。

「二重結果の原理」と「不介入＝無責任の原則」

この「状況にかかわらなければ、責任を取らなくてもよい」という言葉で、皆さんは、「二重結果の原理」を思い出しませんか。「二重結果の原理」とは「意図された結果に対しては責任を負わなければならないが、予期はされていたが意図されてはいなかった結果に対しては責任が免除される」というものでした。これを表面的に捉えると、「意図的にかかわりをもつと責任を取らなければならないが、かかわりをもたなければ責任は免除される」と解釈できると思いませんか。この「状況に介入しなければ、責任を取らなくてよい」という考え方を、仮に「不介入＝無責任の原則」と呼んでおきましょう。私たちが普通「傍観者」という言葉を使う場合、この原則に基づいて行動（結局は、何もしないことですが）する人のことを言っているのではないでしょうか。

しかし、「二重結果の原理」と「不介入＝無責任の原則」とは似て非なるものであることは賢明な読者ならすぐにわかるでしょう。「二重結果の原理」は状況にかかわるかどうかが問題なのではなく、すでに状況にかかわっていることを前提にしているのです。「二重結果の原理」は、殴りかかってきた相手を殺してしまったり、苦痛を緩和するためにモルヒネを使用して患者の死期を早めてしまった場合の、「正当防衛」や「緩和医療」が認められる条件を定めるための原理なのです。この原理は「不介入」を想定していないのです。

「トロッコ裁判」は、線路の切り替えスイッチを操作して、５人を救うために１人を犠牲にした散歩中の女性が、殺人罪に問われるという裁判でした。彼女は、何もせずに５人を死なせたなら、裁判に問われることはなかったでしょう。「傍観者」のままであれば、彼女に責任は生じないのです。しかし、多くの人が彼女の行動は正しかったと支持し、勇気ある行為として賞賛していますが、では、彼女の行動を支持する人は、自分が同じ状況に置かれたとき、同様の行動が取れるでしょうか。それは難しいでしょう。ある行為を正しいと認めることと、その行為を実際にすることとは別の話なのです。そこには、高い壁すなわち「傍観者の壁」があるのです。

「傍観者の壁」

岡本の日本の大学生についての感想や、マサチューセッツ工科大学（MIT）メディア・ラボの研究チームの「モラル・マシン Moral Machine」という思考実験サイトの報告では、日本人は「あえて状況にかかわりたくない」という傾向が強いと指摘されていましたが、日本人にとっての「傍観者の壁」は特に高いというのは事実かもしれません。実際、「いじめによる自殺か」というニュースは後を絶ちません。もし、いじめを目撃した子供たちがそれを先生にすぐに報告してくれれば、悲劇は回避できたかもしれない事例は多いと思います。しかし、それは子供たちにとってかなり勇気のいることです。ですから、教員は勇気をもって報告してくれた生徒の気持ちに応えなければなりません。報告を受けたにもかかわらず、教員が「何もしない」とすればそれは言語道断です。「当事者」が介入しないなどということはあってはならないことです。教員は「傍観者」であってはならないのです。

では、「傍観者」が「不介入＝無責任の原則」に甘んじてしまうおもな原因は何でしょう。私は、それは「傍観者」が行動を起こすには決断を２回しなければならないからだと思います。「当事者」たとえば電車の運転手なら、直進するかハンドルを切るか決断は１回で済みますが、「傍観者」はその前に、自分を「当事者」の立場に置くかどうかを決断しなければならないのです。ショック死した運転手の傍にいた乗客は、まず自分がハンドルを操作すべきか決断しなければならないし、散歩中に線路の切り替えスイッチの傍にいた人は、自分がそのスイッチを操作すべきか決断しなければならないのです。このように、「傍観者」が「当事者」に期待される行動を取ることは、決断を２回しなければならないので、非常な勇気と覚悟がいるのです。

さらに、その決断は責任感が強い真面目な人ほどプレッシャーになるでしょう。あることにかかわりをもち、仕事を引き受けたなら、最後までやり遂げなければならないと思うからです。宮崎駿のアニメ映画に「千と千尋の神隠し」というのがありましたが、そのアニメ映画で印象に残っているシーンがあります。千尋が釜じいのいるボイラー室に行ったとき、釜じいはすすのチビどもを動かして、石炭をボイラーに投げ入れさせていました。チビの１人が石炭でつぶれてしまったのを見た千尋が、そのチビを助けて持っていた石炭をボイラーに投げ入れてやりました。すると、それを見ていた他のチビたちも同じように石炭を運ぶのを止めてしまいました。千尋に石炭を運んでもらうためです。戸惑う千尋に釜じいが言います。「手を出すなら、しまいまでやれ」と。

先ほど、日本人は「あえて状況にかかわりたくない」という傾向が強いという指摘は事実かもしれないと言いましたが、それは「手を出すなら、最後までやり遂げなければならない」の裏返しではないかと思うのです。そのように責任感が強いために、なかなか目の前の状況にかかわれないのではないでしょうか。その意味で、日本人は慎重でシャイな人が多いように思います。しかし、「傍観者」から「当事者」になることにいったん覚悟を決めれば、誠実に最後まで努力する人も日本人には多い気がします、手前みそかもしれませんが。

「傍観者の壁」を乗り越える動機…「共感」

「傍観者の壁」がいくら高くても、その壁を軽々と乗り越えて私たちを行動へと向かわせる動機が存在します。それは、私たちの家族や身近な人がその状況にかかわっているときです。先ほどの切り替えスイッチの傍にいた人は、もし犠牲になるかもしれない５人の中に自分の家族を発見したら、躊躇なくスイッチを操作して、電車を待避線に方向転換させるでしょう。私はこのような動機を「共感」と呼びたいと思います。前節でも触れたように、「共感」とは、「他の人が快楽を得ていると想像することでその人自身も快楽を得、また、他の人が苦痛を受けていると想像することでその人自身も苦痛を感じる」というこころのはたらきを指します。相手の喜びを自分の喜びと感じ、相手の悲しみを自分の悲しみと感じる、このように「共に感じる（感情を共有する）」ことが「共感」なのです。この「共感」の感情は自分にとって身近な人ほど強くなるでしょう。特に、家族は自分と一心同体といえる存在であり、固い「絆」で結ばれています。もちろん、色々な家族がいるので、これはあくまで一般論ですが。

親は自分の子供が危険な状況にあるとき、自分の身を犠牲にしても子供を助けようとするでしょう。親子の「絆」が行動へと駆り立てるのです。しかし、この「共感」が私たちを常に道徳的に正しい行動へと駆り立てるかどうかはわかりません。切り替えスイッチの事例で、待避線にいる１人が自分の家族であれば、その人はスイッチを切り替えることはせず５人を犠牲にするでしょう。自分の家族の命を救うためなら、犯罪を犯す（たとえば、歩道橋の上から、太った男を突き落とす）ことさえ躊躇しないという場合もあるでしょう。したがって、「共感」は「傍観者の壁」を乗り越えて私たちを行動へと向かわせる動機とはなりますが、必ずしも道徳的行為とは結びつかないのです。

「共感」の感情的側面と認知的（知性的）側面

しかし、ヒュームやＪ・Ｓ・ミルは、「共感」こそ道徳的感情であると言います。では、「共感」は正義や道徳とどのようにして結びつくのでしょうか。私は、それは「共感」には感情的側面のほかに、「認知的（知性的）」側面があるからだと思います。「私はあなたの考え方に共感します」と言うとき、「私の考え方はあなたの考え方と同じです、あるいは、あなたの考え方に近いです」ということを意味しているでしょう。したがって、私たちが共感するのは、感情の面だけでなく、知性（理性）の面もあるのです。これは、私たちが「相手の立場に立って物事を考える」ことができるからでしょう。私は、このような知性面での「共感」が、特に道徳の規範的側面を形成しているように思います。「共感」は、同胞と「共に感じる（感情を共有する）」ことによって、私たちを行動へと駆り立て、「共に考える（考えを共有する）」ことによって、私たちの関心を集団全体の利益へと向かわせるのです。これは、私が本章の初めに、意志（意思決定）は知性（理性）による意識的過程と感情（情動）による無意識的過程との協調と競合の上に成り立っていると述べたのと基本的に同じことなのです。

人間は集団生活を営む動物です。人間は集団（社会）を離れては生きていけません。言葉そのものが集団（社会）の存在を前提にしています。したがって、「共感」は人間が集団生活を営むために身に着けた自然的な本能なのです。同胞（他者）がいるから、私たちははじめて自分を意識することができるのです。自分を意識するとは、自分の「もの」すなわち所有権を意識することです。それは、同胞（他者）に対して自分の権利を主張することでもあります。そして同時に、私たちは「共感」によって、特に「相手の立場に立って物事を考える」ことができることによって、同胞（他者）にも自分と同じ権利があることを理解するのです。相手の権利を認めることは、相手を「人格」

として認めることです。こうして、私たちは「共感」によって「人格は常に目的として扱い、決して手段として使用してはならない」（カントの道徳の第二法則）ということを学ぶのです。

しかし､個人の権利（人格の尊厳）は絶対的なものではありません。個人は集団（社会）においてのみ生存できるのです。こうして､「共感」という自然的本能は、同時に個人の利益よりも集団（社会）全体の利益が優先されなければならないことを私たちに教えるのです。これが「最大幸福の原理（最大多数の最大幸福）」であり､これが集団（社会）から離れて生存することができない私たち人間の道徳の根本原理なのです。ミルが言うように、倫理学のあらゆる学派がこの「最大幸福の原理」を無意識のうちに前提しているのです。人間が社会的動物であり、社会を離れて生存できない以上、社会の存続が自己の存続の前提になるからです。

カント倫理学の欠点

カントの道徳の第一法則「君は、君の格率（主観的規則）が普遍的法則となることを欲し得るような格率に従ってのみ行為しなさい」における「普遍的法則」はこの「最大幸福の原理」と考えるべきでしょう。カントは「普遍的法則」は理性の絶対的命令（定言的命法）であるとして、自然界における自然法則との類比から、道徳法則の強制力（拘束力）の強さを印象づけましたが、この「普遍的法則」の具体的な内容については明言を避けています。そこで私たちは、道徳法則は私たちが守るべき強い「義務」であることは理解できるのですが、その内容は、彼の第二法則から「人格（権利）の尊重」であると推論することになるのです。しかし、「人格（権利）の尊重」は「社会全体の利益（公共の福祉）」から分離されて、それだけが強調されると矛盾を生じます。個人の利益（1 人の命）が社会全体の利益（多数の命）に優先するという意識を生じさせるからです。この矛盾に改めて目を向けさせたのが、「トロッコ問題」だったとも考えられます。

カント倫理学は、人間理性に絶対的信頼を置いた主観的（主体的）な道徳哲学です。カントは、人間が理性によって欲望を抑制し、強い自律的意志をもって行動することに人間の「尊厳」を見ていました。したがって、幸福を追求することには道徳的価値を認めておらず、個人と社会の関係についても論じることはありませんでした。この社会的（客観的）視点の欠如は、ドイツにおいても後にヘーゲルによって批判されることになりますが、カントが示した、強い「義務」意識をもち厳格に自分を律する道徳的人間像は、理想的人間の１つの典型として世間から賞賛されたのでした。しかし、人間が「社会的動物」であることを視野から除外したことは、カント倫理学に、理想主義的ではあるが非現実的な教条主義の傾向を与えてしまったように思います。

「共感力」の向上と事前の「心構え」

さて、話を「傍観者の壁」に戻しましょう。傍観者にとどまることは、たいていの場合、悪い結果が予想されるにもかかわらず、その状況に介入しないことを指しますから、傍観することは集団全体の利益（幸福）の増進には貢献しません。むしろ害悪をもたらすと考えられます。ですから、傍観者はたいてい「傍観することは社会的な悪であり、できれば介入した方がよい」という意識をもっているはずです。ただ、その一歩が踏み出せないのは、「不介入＝無責任の原則」があるからでした。「介入しなければ責任は取らなくていいが、介入すれば責任を取らなければならない」ということが負担になるのです。では、どうすればその負担が減るのでしょうか。

私は次のように考えます。まずは、自分の「共感」の感情を高めることです。「共感力」を高めると言ってもいいでしょう。悪い結果が予想される状況の中に自分の家族が含まれていれば、私たちは強い「共感」の感情を抱き、行動へと駆り立てられます。もし、我が子が溺れている姿を見れば、親は自分の危険を顧みず助けようとするでしょう。この「共感力」が高まり、家族や身近な人ではない一般の人に対しても「共感」できるようになれば、行動へのハードルは低くなるはずです。これは感受性や想像力を豊かにするということであり、他者に積極的にかかわっていくということです。物事を「他人事」ではなく「自分の事」として捉える習慣を身につけることが大切なのです。そのようなポジティブな「心構え」をもつだけでも「壁」は低くなるでしょう。

傍観者が第一歩を踏み出せない理由の１つに、「自分は当事者のように振る舞えるか自信がない」という不安が挙げられると思います。それであれば、経験を積むことである程度は解決できるでしょう。つまり「当事者」と同じように行動する訓練をすればいいのです。たとえば、AED（自動体外式除細動器）の講習会に参加すれば、もし街中で心臓麻痺の人に遭遇したとき、まったく知識がない人よりは有効な行動が取れるでしょう。講習会に参加しなくても、インターネットで操作方法を調べることもできますし、また、そのような状況を考えてみるだけでも、何もしないよりは効果があるでしょう。東日本大震災のとき、釜石市の小中学生のほとんどが津波を逃れて無事だったことが「釜石の奇跡」と言われ話題になりました。その際、改めて注目されたのが普段の防災教育の重要性でした。実際に訓練できればそれに越したことはありませんが、それができなくても、避難経路を調べたりあるいは考えてみるだけでも、何もしないよりははるかにましでしょう。少しでも「心構え」ができていれば、いざと言うときに役立つのです。それは災害時の避難でも道徳的行為でも同じことでしょう。

21 世紀の倫理学

20 世紀末から 21 世紀にかけての急激な科学技術の発達や社会・経済の高度化・国際化の進展によって、私たちは今まで人類が経験したことがないほどの多様な倫理的課題に直面することになりました。たとえば、バイオテクノロジーの発達により、ヒトの遺伝子を操作したりクローン人間を作ることが現実のものとなりつつあります。一方、インターネットやスマートフォンの普及による IT（Information Technology 情報技術）革命によって、私たちは世界中の情報を瞬時に知ることができる反面、個人情報の流出や SNS（Social Networking Service）上の誹謗中傷やフェイクニュース（虚偽報道）などの新たな脅威にさらされています。また、経済活動のグローバル化に伴い、今まで自国内において通用していた慣習やルールの中に国際社会においては通用しないものがあることがだんだんとはっきりしてきました。

現在、倫理学は道徳の起源や原理を探求する学から、具体的・実践的な事例に対する解決策を探究する学、すなわち「決疑論（問題が発生したときの用心に解決の型を用意しておく学）」としての性格を強めています。それは類似した事例においてどこまでが正しく、どこからが正しくないかの「線引き」をするという作業です。人はどの状態まで生きており、どの状態から死んだと判断できるのか。どのような行為が正当防衛であり、どのような行為が殺人なのか。戦争終結を早めるためには大量破壊兵器の使用は許されるのか、また、大量破壊兵器とはいかなる兵器を指すのか。以前勤めていた会社で自らが開発した技術を、他社に移ってから使用することは犯罪（窃盗）に当たるのか。金融商品取引においてインサイダー取引と判断されるのはいかなるケースか…。

このように白か黒かはっきりしないグレーゾーンに線を引いて、白と黒との境界をはっきりさせるには「トロッコ問題」のような「思考実験」は有効な手段です。類似した複数の事例の細部を具体的に検討することによって、どこまでが白でどこからが黒かの境界線をある程度明確にできるからです。また、このような「思考実験」が「傍観者の壁」を乗り越えて行動することにも効果があることはすでに見たとおりです。普段から様々な事態について考えておくことは、いざというときの「心構え」につながるからです。

哲学することの意義

しかし、実際には白か黒かを決断するのはかなりの勇気が必要です。決断するとは自分を納得させることです。そして、自分を納得させるためには「正当な理由」を考えなければなりません。別の行動ではなく、この行動を選択した「正当な理由」を考え、自分に対して、また他者に対して説明するという行為こそ「哲学する」ことにほかなりません。人はなぜ「哲学する」のか、それは自分なりの世界観や人生観を構築するためです。ではなぜ、自分なりの世界観や人生観が必要なのか。それは自分で納得のいく人生を送るためです。人生は決断の連続であり、後になって間違った決断をしてしまったと後悔することもたびたびあるでしょう。また、重大な出来事によって、それまでの世界観や人生観が大きく変わってしまうこともあるかもしれません。そうした状況の中にあっても、私たちは常に自分に誠実に生きていきたいと願っています。そして、自分に誠実に生きるためには、何よりも自分を理解していなければなりません。そして、自分を理解するとは、自分が物事を考えるときどのような傾向があるかを理解することです。哲学することによって、自分と向き合うことができ、その結果、自己理解が深まるのです。自己理解が深まれば、自分らしく自信をもって決断することができるでしょう。社会の急激な変化により、何が正しくて何が正しくないかの判断基準があいまいになり、予測が難しい現代だからこそ、哲学することの重要性が高まっているのです。

参考文献

・カント『道徳形而上学原論』（篠田英雄訳、岩波文庫、1976）
・ベンサム『道徳および立法の諸原理序説』（責任編集　関嘉彦、世界の名著 38、中央公論社、1967）
・坂上雅道、山本愛実「意思決定の脳メカニズム―顕在的判断と潜在的判断―」（科学哲学 42-2（2009）
・Ｊ・Ｓ・ミル『功利主義論』（責任編集　関嘉彦、世界の名著 38、中央公論社、1967）
・カント『実践理性批判』（波多野精一・宮本和吉訳、岩波文庫、1975）
・ヒューム『人性論』（土岐邦夫・小西嘉四郎訳、中公クラシックス、2017）
・加藤尚武『倫理学の基礎』（放送大学教育振興会、1993）
・岡本裕一朗『世界を知るための哲学的思考実験』（朝日新聞出版、2019）
・トーマス・カスカート『「正義」は決められるのか？』（小川仁志監訳、高橋璃子訳、かんき出版、2015）
・「苦痛緩和のための鎮静に関するガイドライン（2010 年版）」：日本緩和医療学会〈https://www.jspm.ne.jp/guidelines/sedation/2010/chapter06/06_02_03.php〉（2020/7）
・MORAL MACHINE:Scalable Cooperation MIT Media Lab〈https://www.moralmachine.net/hl/ja〉（2020/7）
・「自律走行車は誰を犠牲にすればいいか？「トロッコ問題」を巡る新しい課題」：WIRED〈https://wired.jp/2019/01/02/moral-machine/〉（2020/7）

おわりに

私が教員を退職したのが平成28年（2016年）で、退職後は、通信制の大学院で哲学を勉強したり、興味の赴くままに読書をしたり、そのつど思索したことを文章にまとめたりしてきました。今回、「はじめに」で述べたように、高校の授業で「倫理」を学ばなかった人たちに、哲学や倫理学に触れてもらい、自らの世界観や人生観を築くための参考にしてほしいという思いから、この本を書きました。

ところが、元教員としてはお恥ずかしい話ですが、平成30年（2018年）に高等学校学習指導要領が改訂され、公民科の内容が大きく変わったことを最近になって知りました。それは今までの必修科目である「現代社会」が廃止され、新たな必修科目として「公共」という科目が設置されたことです。この新しい教育課程は、令和4年度（2022年度）から段階的に実施されることになっています。

退職前から、「公共」という科目ができるだろうということは聞いていましたが、その内容については実施が退職後の事でもあり、特に調べてはいませんでした。しかし、今回この本を上梓（じょうし）するにあたって、新しい学習指導要領を確認してみたところ、私がこの本で書きたかった内容とかなり重なっている点があることに気づきました。

新学習指導要領では、現代を社会状況が急激に変化し予測が困難な時代と位置づけ、このような時代にあって求められる能力として、ア、知識・技能、イ、思考力・判断力・表現力、ウ、学びに向かう力・人間性の3つを挙げています。特に、ウ、学びに向かう力・人間性は、新しい視点であり、「どのように社会・世界と関わり、よりよい人生を送るか」という世界観・人生観の育成を目指すものです。

また、今回の改定の特徴として、道徳教育の充実が挙げられますが、公民科の「公共」と「倫理」が、その道徳教育の中核を担う科目として位置づけられています。激動の時代にあっては、臨機応変に状況に対応する技術・能力ももちろん必要ですが、それ以上に時間をかけてじっくり思索し自分が納得できる生き方を選択する能力を身に付けることが必要であることを、国もようやく認識したということでしょう。

「公共」の内容のはじめに「公共の扉」という単元が置かれていますが、この単元で生徒に身に付けさせたい能力として、「倫理的価値の判断において、行為の結果である個人や社会全体の幸福を重視する考え方と、行為の動機となる公正などの義務を重視する考え方などを活用し、自らも他者も共に納得できる解決方法を見出すことに向け、思考実験など概念的な枠組みを用いて考察する活動を通して、人間としての在り方生き方を多面的・多角的に考察し、表現すること」が挙げられています。

「行為の結果である個人や社会全体の幸福を重視する考え方」とは功利主義を指しており、「行為の動機となる公正などの義務を重視する考え方」とはカント道徳哲学を指していることは、本書を読まれた方ならすぐにおわかりでしょう。また、「思考実験など概念的な枠組みを用いて考察する」という箇所も、「トロッコ問題」などの「思考実験」を活用することの有効性について述べているのであり、本書の「第４章　道徳と幸福」で扱った内容とほとんど重なっています。したがって、この章は、「公共」を教える先生方にも参考になるのではないかと思っています。

いずれにせよ、哲学は皆さんが本を読んだだけでは身に付きません。自分の言葉で思索しなければ成り立たないのです。また逆に、皆さんが自分の言葉で思索したことならすべてあなた自身の哲学になるのです。この本をきっかけとして、哲学が身近に感じられるようになったとすれば、この上ない幸せです。

令和２年（2020年）９月

服部　潤

服部　潤（はっとり　じゅん）

略歴

1955 年生まれ。東京大学文学部哲学科卒。

元群馬県立高等学校公民科教諭。

元群馬県立前橋東高等学校長。

元群馬県高等学校教育研究会公民部会長。

高校生からの哲学入門

‥心と頭を鍛えるために

2021 年 2 月 20 日　初版発行
2021 年 6 月 1 日　第 2 版発行

著　者　服部　潤

発　行　上毛新聞社 デジタルビジネス局出版部
群馬県前橋市古市町 1-50-21
TEL 027-254-9966